Querido(a)
Eu e a Nina desejamos a você, que comprou este livro, muita alegria, sabedoria, aprendizado, autoconhecimento, paz, equilíbrio e que a mensagem por ele trazida conforte seu coração e preencha qualquer dúvida em relação à vida eterna. Que a felicidade seja parte de sua vida todos os dias.

Mãe, voltei!

OSMAR BARBOSA

Pelo espírito Nina Brestonini

Book Espírita Editora
1ª Edição
| Rio de Janeiro | 2017 |

OSMAR BARBOSA

PELO ESPÍRITO NINA BRESTONINI

Mãe, voltei!

BOOK ESPÍRITA EDITORA

ISBN: 978-85-92620-06-6

Capa
Marco Mancen | www.marcomancen.com

Projeto Gráfico e Diagramação
Marco Mancen Design Studio

Ilustrações do miolo
Aline Stark

Revisão
Josias A. de Andrade

Marketing e Comercial
Michelle Santos

Pedidos de Livros e Contato Editorial
comercial@bookespirita.com.br

Copyright © 2017 by
BOOK ESPÍRITA EDITORA
Região Oceânica, Niterói, Rio de Janeiro

1ª Edição: 15.000 exemplares
Prefixo Editorial: 92620
Impresso no Brasil

Todos os direitos reservados e protegidos pela Lei 9.610, de 19/02/1998. Nenhuma parte deste livro pode ser reproduzida ou transmitida por quaisquer formas ou meios eletrônicos ou mecânicos, incluindo fotocópia, gravação, digitação, entre outros, sem permissão expressa, por escrito, dos editores.

Outros livros psicografados por Osmar Barbosa

Cinco Dias no Umbral
Gitano – As Vidas do Cigano Rodrigo
O Guardião da Luz
Orai & Vigiai
Colônia Espiritual Amor & Caridade
Ondas da Vida
Joana D'Arc – O Amor Venceu
Antes que a Morte nos Separe
A Batalha dos Iluminados
Além do Ser – A História de um Suicida
500 Almas
Eu Sou Exu
Cinco Dias no Umbral – O Resgate
Entre Nossas Vidas
O Amanhã nos Pertence
O Lado Azul da Vida

Agradecimento

Agradeço, primeiramente, a Deus por ter me concedido esse dom, esse verdadeiro privilégio de servir humildemente como um mero instrumento dos planos superiores.

Agradeço a Jesus Cristo, espírito modelo, por guiar, conduzir e inspirar meus passos nessa desafiadora jornada terrena.

Agradeço a Nina Brestonini pela oportunidade e por permitir que estas humildes palavras, registradas neste livro, ajudem as pessoas a refletirem sobre suas atitudes, evoluindo.

Agradeço, ainda, aos meus filhos Bruno, Priscilla, Marcelo, Anna Julia e Rodrigo, e à minha amada esposa, Michelle, pela cumplicidade, compreensão e dedicação. Sem vocês ao meu lado me dando todo tipo de suporte, nada disso seria possível.

Agradeço a todos da Fraternidade Espírita Amor & Caridade pela parceria nesta nobre e importante missão que, juntos, desempenhamos todos os dias com tanta devoção.

E agradeço a você, leitor, que comprou este livro e com sua colaboração nos ajudará a conseguir levar a Doutrina Espírita e todos os seus benefícios e ensinamentos para mais e mais pessoas.

Obrigado.

A todos, os meus mais sinceros agradecimentos.

*A missão do médium é o livro.
O livro é chuva que fertiliza lavouras imensas, alcançando milhões de almas.*

Emmanuel

A encarnação é tudo o que temos para nos tornarmos espíritos perfeitos. E é experimentando que chegaremos ao ápice de nossa evolução.

Osmar Barbosa

Conheça um pouco mais de Osmar Barbosa em
www.fraternidadeespirita.org
www.osmarbarbosa.com.br

Conheça o projeto social financiado por este livro
www.lardanina.org

Sumário

Introdução..19

Em algum lugar do Rio de Janeiro.....................27

O encontro...37

A luz divina...47

A vida que segue..61

As Colônias Espirituais.......................................71

Laços eternos..75

A vida em outra vida...91

A busca no Umbral..109

Colônia da Regeneração....................................123

Colônia Amigos da Dor.....................................131

Colônia Redenção..143

Colônia Espiritual Amor e Caridade................151

Começar de novo..165

Quando a vida te escolhe..................................175

O destino...193

Mãe, voltei!...209

Cartinhas...225

Deus nos permite tudo. E tudo o que Ele nos oferece é e será sempre para nos tornar filhos perfeitos.

Osmar Barbosa

Introdução

Todos nós já estamos cansados de saber que o suicídio é um caminho sem volta. Que a alma que comete o suicídio sofre muito e que essa atitude só atrasa a evolução pessoal de cada um.

O suicídio é o ato de um indivíduo, deliberadamente, encurtar a própria vida. Suicídios acometem pessoas em todas as camadas sociais e por diversos motivos, desde depressão, problemas financeiros, amores não correspondidos, desilusões e por aí vai.

De onde nasce o desgosto da vida, que, sem motivos plausíveis, se apodera de certos indivíduos? Por que, muitas vezes, em atos de desespero pessoas cometem suicídio?

O que acontece quando somos surpreendidos por uma tragédia dentro de nosso lar? Como reagir à perda de um ser tão importante para nossa vida? Como reagir à morte de um filho na tenra idade? Será que o Criador está castigando a criatura? Por que morrem nossos filhos? Por que morrem as pessoas que mais amamos de forma tão trágica e dolorosa?

Há muito já se condena aqueles que cometem o suicídio indicando

Mãe, voltei!

um único caminho para essa alma: o inferno. Todos nós sabemos que somos responsáveis por nossos atos, e principalmente por nossas atitudes. Tudo o que fazemos cria perto de nós uma onda fluídica, seja ela boa ou ruim. A vida é feita de decisões. E são as decisões que tomamos diariamente que conduzem nossa caminhada. Não importa se estamos encarnados ou desencarnados, as decisões serão sempre o que nos levará para o adiantamento espiritual ou para o atraso de nossa existência. A ideia de um lugar ao qual chamamos de Paraíso foge à nossa compreensão. Imaginar que há um lugar criado por Deus para o descanso de seus filhos... Que descanso? Descansar de quê? Quando deixamos nosso corpo físico, acredito não haver mais cansaço. Basta olharmos para a nossa vida atual. Dormimos para o descanso do corpo físico. Não dá para acreditar que Ele se propôs a criar ou construir um lugar onde ficaremos sentados contando as horas sem nenhuma utilidade na vida espiritual. Sinceramente, não sei onde isso está escrito, ou até mesmo se está escrito em algum lugar; mas se estiver, quem escreveu deveria estar velho e cansado, talvez com preguiça de pensar nas coisas de Deus.

Acreditar na morte é, sem dúvida, uma perda de tempo. Acreditar que Deus criou Seus filhos para simplesmente deixarem de existir após uma única vida é uma tremenda perda de tempo. Deus é, sem dúvida, a maior forma de amor que podemos conhecer. Se Ele é soberano e justo, é justo que nos dê ou nos ofereça novas oportunidades. Mas como poderei reparar o mal que fiz a alguém, se Ele me mantiver no céu? Ou neste lugar que dizem chamar-se paraíso? Como assim? Como vou poder aprender a amar alguém que por algum motivo me fez algum mal? Como? Como poderei perdoar?

Como reparar meus erros e melhorar-me?

Será que minha mãe ou meu pai, as pessoas que mais amei na minha vida atual, serão exterminadas? Nunca mais existirão? Como assim? Um Deus que mata e destrói aquilo que criou com tantos detalhes, com tanta riqueza, com tanto amor? Com tanta perfeição? Sinceramente não dá para acreditar que a vida se resume a esta vida.

Vejamos, a natureza que sabemos é obra da Criação.

Um pássaro, por exemplo. Antes de morrer, procria para manter viva sua origem. Todos procriam na natureza. Todos seguem em frente.

Uma árvore que dá frutos e brotos a todo o momento.

Nós mesmos estamos trabalhando para nos eternizarmos perante a humanidade. Alguns até passam por aqui sem serem notados, mas a maioria escreve sua história para ser lembrada pela eternidade.

Nada se perde na Criação. Quer ver?

Uma árvore de novo. Se nós não a derrubarmos, ela vai durar algumas centenas de anos. E quando a vida nela cessar, servirá de alimento para outras espécies. E por fim, servirá de adubo para a terra para que outra árvore possa nascer, crescer e morrer.

Tudo está intrincadamente ligado. A vida é sempre auxiliada por outra vida. Quer ver?

Mãe, voltei!

O animal morre para nos alimentar. As plantas e vegetais nos servem como alimento e remédio. Estamos ligados a todos os elementos da Criação. Precisamos do sol para nos manter vivos. Precisamos da noite para o descanso. Precisamos da chuva para regar toda a fauna e flora; enfim, estamos sempre dependentes uns dos outros para o progresso, seja ele espiritual ou material.

Quando eu morrer... O que será que vai acontecer comigo? Vou deixar de existir? Deus, que me criou, vai me exterminar? Para onde vou? Se existe algum lugar para onde vamos depois da morte, como é esse lugar? Por que Ele quis que as coisas fossem assim? Minha mãe morreu mesmo? Nunca mais vou vê-la? Meu pai, meus irmãos, meus amigos, minha esposa, meus filhos; enfim, todos aqueles que amei e amo profundamente deixaram de existir? Se ainda existem, onde estão? Por que não consigo vê-los? Por que eles não se comunicam comigo? Por que não me mandam um sinal de que ainda existem? Por que sinto tanta saudade e ninguém vem me provar que a vida eterna existe? Eu quero uma coisa mais pessoal, sei que muitos espíritas estão psicografando cartas do além, sei que posso receber uma comunicação; mas eu, que vivi tanto tempo ao lado de minha mãe e daqueles que tanto amo, gostaria de uma coisa mais substanciosa, algo que me desse a certeza. Por que eu não tenho a certeza da vida eterna?

Se Ele me ama, por que me esconde esta informação? Não que eu não acredite nas informações que me foram passadas, é que tudo é muito superficial, e eu preciso saber a verdade...

Esta obra que você está lendo agora é um livro psicografado. Eu tenho a oportunidade de me comunicar de uma forma singular com alguns espíritos. Eu, o autor deste livro, não tenho as dúvidas relacionadas acima. Mas a maioria das pessoas que me procuram está sempre com essas questões mal resolvidas em suas vidas. Eu, o autor, não tenho nenhuma dúvida de que a vida continua e que Ele preparou tudo de melhor para nós, Seus filhos. A experiência de viver esses livros ao lado de Nina, Felipe e tantos amigos que me oportunizam sentir é algo muito legal.

Porque eu não ouço espíritos... se os ouvisse, certamente estaria correndo pelas ruas de minha cidade até agora, gritando socorro! Minha mediunidade é, sem dúvida, muito especial. Vejo as cenas e ouço uma voz que fala dentro de mim em todas as linhas dos livros que psicografo. É uma experiência única, difícil de explicar. Vejo os lugares, as colônias, o Umbral, as ruas, as vilas, os galpões. Enfim, tudo o que está escrito nos livros que psicografei e psicografo eu vivi bem de perto, e isso me faz um ser diferente. Tento todos os dias ser um ser melhor, pode confiar. Tenho plena consciência de que isso é um dom, um dom muito especial que agradeço todos os dias antes de dormir.

Depois de psicografar mais de setenta livros, me encontro agora em uma encruzilhada: como dizer a você, amigo leitor, que se preocupe sim com sua vida material, mas faça seu maior investimento em sua vida espiritual, pois ela, sim, tenho certeza, vai continuar? "Tenho certeza."

Mãe, voltei!

A história de Débora, que iremos acompanhar nas linhas deste livro, nos mostra o que não devemos fazer nunca. Ela, num momento de desespero, toma a pior decisão que poderia ter tomado em sua vida. Será que Deus pode nos livrar de um suicídio?

Uma coisa é certa: Deus nos ama profundamente e tem um plano para todos nós, anotado na cartilha do amor que Ele carrega consigo para todos os lugares.

Sejam bem-vindos ao livro *Mãe, Voltei!*

Osmar Barbosa

Amigo leitor

Para melhor compreensão da obra e familiarização com os personagens, recomendamos a leitura de outros livros psicografados por Osmar Barbosa.

O Editor

OSMAR BARBOSA

Em algum lugar do Rio de Janeiro

Ao chegar, após mais um dia de trabalho, Débora está sentada à porta de sua humilde residência em uma comunidade, acariciando os lisos cabelos de Allan, seu único e amado filho.

Débora é mãe solteira. Allan é fruto de um namorico com João Carlos, que não mora mais na comunidade em que ela reside, lugar que ela escolheu para viver depois de ter migrado do interior do Nordeste do Brasil, onde deixou para trás familiares, seus pais e sua irmã caçula. Débora veio tentar a vida na cidade maravilhosa. Na verdade, ela queria mesmo era se livrar da educação rigorosa imposta por seus pais. João Carlos nunca procurou e nem deu nenhum tipo de assistência ao menino.

Débora trabalha em quatro casas diferentes de segunda a sexta-feira, fazendo faxina; ela é diarista e assim se mantém e consegue manter seu filho na pequena escola do bairro onde moram. Ela tem muito orgulho do menino, que é querido por todos e um excelente aluno, elogiado por todos os professores.

Todos os dias, quando chega do trabalho, por volta das 17 horas, ela pega o menino na escola e o leva para casa. Por vezes sentam-se na cal-

Mãe, voltei!

çada e ficam olhando o movimento da pequena, mas longa viela onde vivem. O lugar é de muita pobreza, mas Débora consegue manter sua casa de apenas três cômodos sempre muito limpa e organizada. Ela tem todos os móveis necessários ao conforto de ambos. No lugar, embora humilde e aconchegante, há uma pequena televisão posicionada sobre uma cômoda de madeira virada para a única cama da casa. Ela dorme todos os dias agarrada ao seu único e grande amor, seu filho Allan, que adora assistir a filmes no videocassete que ela lhe presenteou no Natal. Sempre que sobra um dinheirinho, Débora compra filmes de romance, pois são os preferidos de Allan.

Allan é um menino muito esperto, e além disso muito bonito. Cabelos pretos e lisos lhe emolduram o lindo rosto, realçando-lhe os lindos olhos castanho-claros. Muito dedicado aos estudos, o pequeno sonha em ser alguém muito importante para ajudar sua mãe, quem sabe, engenheiro, pois sempre que pode, fica sentado admirando os trabalhadores que realizam obras de melhoria nas ruas e vielas da comunidade. Ele gosta de obras.

São solitários, mas extremamente felizes. Débora não é muito de fazer amizades. A única pessoa com quem se relaciona na comunidade é Luana, sua vizinha e também faxineira, mãe de três meninas, que vive com Juracy, seu esposo.

Assim que chega em casa, Allan senta-se à porta de entrada da cozinha enquanto Débora começa a preparar o jantar.

– Mãe!

– Sim, meu amor.

– Posso lhe perguntar uma coisa?

– Claro, querido, você pode me perguntar tudo.

– Mãe!

– Diga, Allan.

– Você tem tido notícias do meu pai?

– Da última vez que soube ele estava trabalhando na Barra da Tijuca e morando por lá mesmo. Por que você quer saber do seu pai agora?

– É que teremos uma festa na escola.

– Sim, e o que tem seu pai a ver com isso?

– Vai ser uma festa em que todos os pais terão que ir. Eu não sei o que dizer para a professora.

– Diga-lhe a verdade.

– E qual é a verdade, mãe? O que eu digo?

– Diga que seu pai é um homem muito ocupado e que não poderá participar desse evento.

– Mamãe, você mesma me ensinou a não mentir.

– Mas isso não é uma mentira.

– É sim, mamãe. Eu nem me lembro do rosto do meu pai. Não tenho nenhuma foto com ele. Não o vejo desde que era bem pequeno.

Mãe, voltei!

Débora deixa o que está fazendo e se aproxima de Allan, secando as mãos em um pano de prato. Ajoelhando-se perto do menino, sussurra docemente palavras carinhosas muito próximas ao seu filho.

– Meu amor, seu pai nunca quis saber de você. Você, embora tenha seu pai vivo, é órfão de pai. Infelizmente, João Carlos só esteve um momento em minha vida e não quer saber de você. Eu mesma já liguei para ele diversas vezes e tentei pedir que viesse ver você, mas ele não atende ao telefone. E quando atende, sempre inventa uma desculpa. Eu até mandei recado pela Regina, irmã dele, e sua tia, mas ele disse que era para eu e você nos esquecermos dele. Quando lhe proponho que diga essas coisas na escola é porque não quero ver você sofrendo. Mas você tem razão, diga a verdade. Diga que você tem pai sim, mas que ele não quer saber de você. Você ainda é uma criança. O tempo é o melhor remédio para todas as dores, principalmente para a dor da separação, filho.

– É por isso que eu te amo todos os dias, mamãe – diz Allan abraçando Débora.

– Por quê? – pergunta ela.

– Porque você é doce como uma uva e quente como o sol do verão.

– De onde você tirou isso, garoto?

– Estamos estudando poema lá na escola. Eu até fiz um para você. Na verdade, eu tinha feito um para o papai, mas como você mesma diz, é melhor esquecer essa história.

– Me mostre então seu poema. Declame-o para mim.

– Não posso, mamãe. É surpresa.

– Sério?

– Sim, ainda não posso declamar o poema que fiz para você e para o meu pai. Vou transformá-lo em versos só para você – diz Allan, emocionado.

– Te amo, filho! – diz Débora.

– Eu também, mamãe.

– Agora, me deixe terminar o jantar. Está com fome?

– Morrendo...

– Vá tomar seu banho, que o jantar já vai ser servido.

– Está bem, mamãe.

Allan dirige-se ao banheiro para tomar seu banho. Débora sente um aperto no peito, algo estranho. Ela se apoia na pia e passa o pano no rosto. Sente algo muito estranho. Uma dor lhe sai de dentro, rasgando-lhe a alma. Um pensamento invade seu ser, uma sensação ruim. "Algo vai acontecer ao Allan", pensa ela.

– Allan! – grita ela.

– Sim, mãe!

– Venha logo jantar.

Mãe, voltei!

– Já vou, mamãe. Acabei de entrar no banho. Espere aí! Já estou terminando.

Débora sente uma enorme vontade de abraçar seu filho. Sem que perceba, espíritos de luz estão à sua volta. Uma jovem menina se aproxima de Débora e lhe impõe as mãos, dando-lhe um passe fluídico que lhe acalma o ser.

Outro espírito assiste a tudo bloqueando a porta de entrada da cozinha. O ambiente se enche de luz e Débora finalmente se acalma.

Aproximando-se de Débora, a menina anjo lhe diz palavras de conforto ao ouvido. Débora ouve sua voz íntima lhe dizendo para se acalmar.

– Pare de pensar coisas negativas, Débora! Isso é coisa de sua cabeça. Deus cuida de todos os Seus filhos – ouve ela a sua voz intuída pelo anjo de luz.

– É isso. Isso é coisa da minha cabeça. Mas essa sensação ruim que às vezes sinto... Meu Deus, cuide bem do meu filho para que nada de mal lhe aconteça! – diz Débora, se acalmando.

Logo Débora senta-se na cadeira da pequena mesa da cozinha que acabara de arrumar, enquanto seus pensamentos são intuídos pelos espíritos amigos.

– Vem logo, menino, a comida já está servida e vai esfriar.

– Tô indo, mãe – diz Allan, chegando ao ambiente.

– Vem cá, me deixa dar um chamego nesse moleque cheiroso – diz Débora, puxando Allan pelo braço e lhe agarrando.

– Mãe, me deixa comer!

– Não, primeiro quero sentir seu cheiro.

– Meu cheiro é de sabonete.

– Eu quero assim mesmo, meu amor.

– Às vezes você é grudenta, mãe – diz Allan.

– Mães são grudentas, meu amor. E filhos têm um cheiro especial que só as mães conhecem.

– Agora me deixa comer, estou morrendo de fome – diz Allan.

– Senta aqui ao meu lado – diz Débora, puxando uma cadeira.

Allan senta-se ao lado da mãe, que se põe a colocar seu prato de comida. Eles comem feijão, arroz, batatas fritas e bife, comida predileta de Allan.

– Está boa a comida?

– Não existe comida melhor no mundo! – diz Allan.

– Que bom que você gosta da minha comida!

– Eu amo a sua comida, mamãe.

– Assim que acabar de comer, coloque uma camisa, o tempo parece que vai virar. E não se esqueça de escovar os dentes.

Mãe, voltei!

– É... Está estranho, não é, mãe?

– Sim, acho que vamos ter um temporal.

– Mãe, deixa eu contar uma coisa: você se lembra de que lhe falei que estamos organizando um evento na escola?

– Sim, dos versos...

– Na verdade, estamos estudando muito, e além dos poetas brasileiros, também estamos estudando nossa música, artes em geral, história natural e antropologia. A professora nos deu a ideia de fazermos um passeio até o museu da Quinta da Boa Vista. Na verdade, é para passarmos o dia lá nos divertindo e aprendendo. Eu posso ir?

– Claro, filho! Claro que sim. Quando será?

– No próximo mês.

– Tem que pagar alguma coisa?

– Não, mãe. Ela conseguiu com uma instituição de caridade o transporte e o lanche para toda a nossa turma.

– Olha que bom, ainda tem muita gente boa neste mundo, *né* filho?

– Sim, é o pessoal de uma instituição que ajuda muita gente.

– Que bom, filho! Finalmente você vai conhecer um lugar muito legal.

– Você conhece o museu, mamãe?

– Sim, estive lá uma única vez, e é realmente muito legal.

– Ah, entendi – diz Allan.

– Então, quando acabar de comer, vou pegar a autorização que está na minha mochila para você assinar – diz Allan, abocanhando um pedaço de bife.

– *Tá* bom, filho.

– Outra coisa, mamãe...

– Sim.

– ... meu aniversário está se aproximando, você sabe, *né*?

– Sim, meu amor, no mês que vem você faz quinze anos. *Tá* ficando um rapazinho.

– Pensei em convidar alguns amigos para comermos uma pizza aqui em casa, o que você acha?

– Sem problemas, você só não pode convidar muita gente; nosso barraco é pequeno, você sabe, *né*?

– Sim, mãe. Serão só alguns amigos da minha sala de aula.

– Fique à vontade, só me avise quantos são para que eu possa me organizar.

– Está bem, mamãe. Te amo!

– Eu também, filho. Agora termine de jantar e vá escovar os dentes.

– Pode deixar, "dona Débora" – diz Allan, sorrindo.

O encontro

Allan acorda mais cedo, e após tomar seu banho, senta-se à beira da cama para conversar com Débora que ainda está deitada.

– Bom dia, mamãe!

– Você já está arrumado?

– Sim, hoje é o dia do passeio no museu, lembra?

– Sim, claro que sim. Poxa, quase esqueci.

– Temos que chegar um pouco mais cedo para não perder o ônibus.

– Eu já fiz seu café e preparei um sanduíche que coloquei em sua mochila, tem vinte reais em sua carteira; se você sentir fome, compre alguma coisa lá.

– Pode deixar, mamãe.

– Outra coisa: a que horas vocês vão voltar?

– Chegaremos à tarde, acredito que lá pelas três horas.

– Você sabe que eu não vou estar em casa, *né*?

Mãe, voltei!

– Sim, mãe, fique tranquila; eu vou ficar aqui na vila com meus amigos.

– Está bem. Sabe que não pode ir para o lado de lá, *né*? – diz Débora, apontando para o outro lado da comunidade que infelizmente é dominada por traficantes de drogas.

– Sei sim, mamãe, não vou para o lado de lá. Pode deixar!

– Então vá e aproveite para aprender bastante coisa, depois me conta como foi.

– Tchau, mãe. Te amo!

Após tomar seu café e comer um pedaço de pão, Allan deixa sua casa e segue para a escola; logo se encontra com seus amigos e professores e todos seguem felizes para o passeio escolar.

Após algumas horas no trânsito finalmente eles chegam ao museu e começam o passeio.

João Carlos e seu amigo Neto estão realizando obras de manutenção no lugar. Neto logo percebe a comitiva de crianças e professores se aproximando do local em que estão e comenta:

– Olha lá, João, são crianças da comunidade em que você morava.

– É, são mesmo! São da escola lá da comunidade.

– Quem sabe seu filho não está no meio dessa turma!

– Mesmo que esteja, nunca vi a cara desse garoto. Nem sei como ele possa estar agora. Faz uns oito anos que não vejo o menino.

— Eu tinha me esquecido desse detalhe – diz Neto.

— São crianças bonitas, olhe aquela menina ali, de cabelos negros.

— Sim, são bonitos e estão todos bem vestidos, nem parece que moram em lugar tão pobre.

Allan e Vinícius se aproximam de João Carlos e Neto, seu auxiliar, na empreitada.

— Moço, onde fica o museu? – pergunta Allan a seu pai.

— Fica naquela direção, está vendo aquele prédio lá embaixo? – diz João, apontando com o indicador.

— Sim, senhor.

— É lá o museu.

— Obrigado, senhor – diz Allan, se afastando.

Algo acontece dentro do peito de João, ele sente uma angústia nunca antes sentida. Neto percebe que o amigo não está bem e se aproxima para ampará-lo.

— O que houve, homem?

— Não sei, não estou me sentindo bem – diz João amparando-se no amigo.

Allan olha para trás e vê que João está se sentindo mal. Imediatamente ele volta e corre em direção a João querendo auxiliá-lo.

Mãe, voltei!

Neto e Allan amparam João, que se sente mal.

– Menino, corre lá no posto médico e peça ajuda, por favor!

– Onde é que fica isso, senhor? – pergunta Allan.

– Naquela direção – diz Neto, mostrando o caminho a Allan que imediatamente corre para pedir ajuda.

Logo Allan e uma ambulância chegam ao lugar onde João está deitado, rodeado de curiosos.

Allan se aproxima enquanto os primeiros socorros são prestados.

João é colocado em uma maca para ser transferido para um hospital. Allan se aproxima para olhar o mais novo amigo.

– Menino, obrigado por você ter me ajudado – diz João, meio inconsciente.

– De nada, senhor.

– Qual é seu nome, meu rapaz?

– Me chamo Allan.

Imediatamente João desmaia com a emoção de ouvir o nome do menino. Ele pensa que Allan pode ser o seu filho.

Imediatamente os enfermeiros colocam João na ambulância, que sai rapidamente levando para o hospital o paciente João.

– Ei, menino! – diz Neto.

– Sim – diz Allan se aproximando.

– Qual é mesmo seu nome?

– Allan, senhor.

– Me perdoe perguntar, mas quem são seus pais?

– Minha mãe se chama Débora.

– E seu pai?

– Meu pai se chama João Carlos, mas eu não o conheço, ele me deixou quando eu ainda era bem pequeno.

Neto fica gelado e sem ação. Pensa que não tem o direito de revelar o ocorrido e se cala.

– Parabéns por você ter ajudado o meu amigo!

– O que houve com ele, senhor?

– Eu não sei – diz Neto.

– Ele não vai morrer não, *né*?

– Não, acho que foi só um mal-estar, apenas isso.

– Que bom, me dá licença, senhor! Agora tenho que me encontrar com os professores.

– Vai rapaz, e mais uma vez obrigado.

– De nada, senhor.

Neto é amigo de João há muitos anos; eles trabalham na mesma

Mãe, voltei!

empresa. Embora distante, sempre que pode e tem oportunidade João pergunta por Débora e Allan. Quis o destino que eles se encontrassem novamente, agora em situação bem diferente. Neto fica impressionado com os acontecimentos e pede licença ao supervisor da obra para ir até o hospital saber notícias do amigo.

Após terminar o passeio todos se dirigem de volta à comunidade em que moram. Allan chega à sua casa, e após tomar banho fica brincando com os amigos nas ruas próximas. Logo Débora o encontra e ambos se dirigem para o descanso do dia.

– Oi, filho!

– Oi, mãe!

– Como foi o passeio?

– Foi legal, muito legal. Conheci e aprendi coisas incríveis. Sabe, mamãe, agora eu quero visitar outros museus e conhecer um pouco mais de nossa história. Lá, não tinha muitos poetas, mas vou descobrir onde eles ficam, e se você puder, me leva, *né* mãe?

– Sim. Descubra, que eu levo você, filho. Mas me conte, você gostou mesmo da Quinta da Boa Vista?

– Amei, mamãe, amei!

– Que bom, meu filho! Que bom que você gostou!

– Mãe, você sabia que as pessoas passam o dia lá na Quinta da Boa Vista?

– Sim, meu filho! Eu mesma já fui lá uma vez, como lhe disse!

– Com quem você foi?

– A única vez foi com seu pai, quando ainda éramos namorados.

– Eu gostei muito de lá.

– Que bom, filho! Você lanchou?

– Sim, comi o sanduíche que você me fez. Mas a escola também levou lanche para todos nós.

– Ah, que bom! Então você não está com fome.

– Agora estou, sim.

– Vamos para casa, que vou preparar um lanche.

– Vamos, mamãe.

Após alguns metros...

– Mãe.

– Sim.

– Aconteceu uma coisa muito estranha hoje lá no passeio.

– O que houve?

– Um homem passou mal e eu ajudei a socorrê-lo.

– É, meu filho, que legal!

– Sim, eu pedi uma informação a ele, daí quando eu ia me afastando ele começou a passar mal e pediu a minha ajuda.

Mãe, voltei!

– E o que você fez?

– Chamei os bombeiros, que vieram com uma ambulância e socorreram-no.

– Muito bem, Allan! Parabéns!

– Mas eu achei uma coisa muito estranha com aquele moço.

– O que você achou estranho?

– Sei lá, algo que não sei explicar.

– Como assim, Allan? Tente me explicar.

– O rosto dele.

– O que você viu no rosto dele?

– Me pareceu familiar, sei lá. Parece que eu o conheço de algum lugar.

– Quem sabe você não conhece mesmo, *né*? Afinal, vivemos em uma comunidade onde há milhares de moradores.

– É, pode ser isso, pode ser que ele seja morador daqui ou que eu já o tenha visto em algum lugar.

– Deve ser isso, meu amor.

– Mas o estranho é que não consigo esquecer o rosto dele. Isso é que está me deixando encucado.

– Ele lhe fez alguma coisa?

– Não, mãe, claro que não! Ele simplesmente passou mal na minha frente e me pediu ajuda, foi só isso.

– Você deve ter ficado impressionado com a situação, logo isso passa.

– É... isso passa – diz Allan.

– Agora vamos, você deve estar morrendo de fome.

– Estou mesmo.

A luz divina

– Bom dia, Allan! – diz Débora acordando o menino.

– Puxa, mãe, estou tão cansado hoje! Eu posso faltar à aula?

– Claro que não, seu preguiçoso. Levanta logo. Eu já estou pronta e esperando você.

Allan se levanta contrariado e troca de roupa para seguir junto com sua mãe para a escola.

– Você já está pronto, Allan?

– Sim, mamãe, só me falta escovar os dentes.

– Deixa-me dizer-lhe uma coisa – diz Débora, aproximando-se da porta do banheiro onde Allan põe cuidadosamente a pasta na escova.

– Hã! – balbucia o menino.

– Hoje vou chegar um pouco mais tarde em casa. Vou trabalhar na casa da dona Vera durante todo o dia, e à noite ela me pediu para servir seus convidados; é que haverá uma reunião no centro espírita a que ela pertence. Ela vai inaugurar um espaço na rua dela. É uma reunião de espiritismo, não sei a que horas vai acabar, mas ela me prometeu uma carona até aqui perto de casa. Disse que tem uma amiga que pode me dar a carona. Quando você chegar da escola não quero que fique na rua. Venha para casa. A janta já está pronta dentro da geladeira. É só esquentar e comer.

– *Tá* bom, mãe. Fique tranquila.

– Você ouviu bem o que eu lhe disse? Não quero você na rua, ouviu?

– Ouvi, mamãe, ouvi. É por causa dos tiros?

– É claro *né*, Allan! Todos os dias agora a polícia sobe o morro metendo bala nesses desocupados que nada têm a perder.

– É, mamãe, infelizmente a coisa está cada dia pior aqui. Eu sonho me tornar engenheiro, ganhar muito dinheiro e tirar você daqui.

– Deus vai me permitir juntar um pouco mais de dinheiro e logo sairemos daqui, meu filho. E quanto a ser engenheiro, saiba que para isso você tem que estudar bastante.

– Mamãe, esses marginais não mexem com a gente.

– O problema não são os moradores daqui, o problema é quando a polícia vem aqui.

– Mãe, é só a gente não ficar de bobeira que tudo vai ficar bem. Agora vamos, que eu já estou atrasado para a escola.

– Vamos! – diz Débora.

Após deixar Allan na porta da escola, Débora pega o ônibus que a deixa próximo à casa de Vera.

– Bom dia, dona Vera!

– Bom dia, Débora! E por favor, não me chame de dona. Eu já lhe pedi isso várias vezes.

(Risos)

– Desculpe-me, senhora.

– Também não me chame de senhora. Chame-me de Vera, é o suficiente.

– *Tá* bom, Vera.

– Olha, Débora, limpe a casa e organize-se para hoje à noite. Como eu já havia conversado com você, preciso servir os convidados na inauguração da casa espírita. E conto com você para me auxiliar.

– Pode deixar. Pode contar comigo. Eu já deixei tudo organizado com o Allan em casa.

– E como está ele?

– A cada dia mais lindo.

– Realmente, seu filho é lindo – diz Vera. – Você trouxe o avental que pedi?

– Sim.

– Eu vou ao mercado comprar algumas bebidas e legumes, mais tarde conversaremos sobre seu pagamento.

– Sim, sem problemas, Vera.

Mãe, voltei!

– Até logo, Débora!

– Pode deixar que quando você chegar vai estar tudo organizado e bem limpinho.

– Quando eu chegar nós vamos lá na casa espírita fazer a limpeza e preparar tudo para o encontro de hoje à noite.

– Está bem, Vera, vou ficar esperando por você.

O dia passa rapidamente e Vera recebe os convidados especiais na inauguração da pequena, mas confortável casa espírita, a única do bairro nobre na Zona Sul do Rio de Janeiro.

Débora, arrumada com um lindo avental azul-claro, serve os convidados antes da palestra inicial.

Todos estão alegres e felizes com o acontecimento. Débora se sente acolhida e feliz no ambiente de harmonia e amor. Dentro de si ela se sente surpresa, pois consegue ver que tudo o que lhe haviam falado sobre espiritismo cai por água abaixo, quando percebe a gentileza e o amor com que todos a tratam. Ela se sente feliz.

O palestrante convidado acaba de chegar. Homem renomado e um dos divulgadores mais importantes da doutrina dos espíritos, recebe o carinho e as homenagens de todos os presentes. Humildemente, o senhor de aproximadamente setenta anos toma Débora pelas mãos e agradece a gentileza quando ela lhe serve um pequeno sanduíche natural feito por Vera e ela durante o dia.

Todos estão emocionados com a ilustre presença.

O médium palestrante se põe de pé e convida todos a se sentarem para que possa proferir algumas palavras.

Débora, então, pega e pequena bandeja que serve aos convidados e começa a se retirar em direção à cozinha, quando é questionada pelo convidado especial, que fala ao microfone:

– Senhorita, onde é que você pensa que vai?

– Vou para a cozinha, senhor – diz ela, humildemente.

– Então hoje faremos a primeira palestra espírita na cozinha de um centro espírita – diz o humilde palestrante.

Todos riem.

Débora fica encabulada e com muita vergonha, afinal ela é o centro das atenções.

Humildemente, mais uma vez, o jovem senhor se encaminha em direção a ela e a convida a sentar-se ao seu lado.

– Senhor, eu lhe agradeço o convite, mas não sou espírita – diz Débora.

– Jesus não pregava nos templos e tampouco só para cristãos. A palavra de Deus só é útil quando se coloca ao dispor dos mais humildes. Se a senhorita não se importa, gostaria que fosse minha convidada desta noite – disse o palestrante.

Mãe, voltei!

Vera olha seriamente para Débora como se lhe advertisse para não recusar o convite.

Todos se calam e sentam-se para ouvir o ensinamento do grande orador.

Envergonhada, Débora senta-se ao lado do palestrante depois de ter entregue a bandeja que estava em suas mãos a Vera, que rapidamente a encaminhou para a cozinha, auxiliada por Magali que assistia a tudo muito impressionada.

O nobre convidado começa a falar:

– Jesus pregava aonde suas palavras podiam alcançar aqueles mais necessitados de conforto e ensinamentos em seus corações. É entre os mais humildes que encontramos o verdadeiro amor. É entre os mais necessitados de luz que devemos pregar. Em uma casa como esta, se não for permitido pregar para você, menina, não terá sentido ter sido criada. Pois aonde há trevas é que devemos espalhar a luz. Aonde há ignorantes é que devemos evangelizar. Nós, espíritas, somos semeeiros. Aquilo que espalhamos se reverte em luz em nosso caminhar. Se me permites, sente-se aqui ao meu lado, pois tenho algumas coisas para lhe ensinar.

Imediatamente Vera se aproxima e, tomando as mãos de Débora, a conduz a sentar-se ao lado do ilustre médium e palestrante.

Acanhada e sem muito jeito, Débora aceita o convite e senta-se ao lado do orador que começa sua palestra.

– Boa noite a todos! Encarnados e desencarnados!

Todos já se encontram sentados e em silêncio.

– Todos nós estamos aqui neste plano espiritual por algum motivo. Como todos sabem, não há acasos nas coisas de Deus. Participamos de encontros e desencontros, de chegadas e partidas. Um filho, um pai, um irmão, uma irmã, um familiar, está ligado a nós por algum motivo. Todos nós estamos ligados uns aos outros por algum motivo. O seu problema não está na casa do vizinho, muito embora os vizinhos façam parte de sua evolução. Seu problema está dentro do seu lar. É lá que estão os ajustes. É lá que tens que superar as diferenças e divergências diárias. Somos todos guiados e orientados por espíritos amigos, quando de boas ações e bons pensamentos desfrutamos. Tudo o que desejas será seu se assim lhe for de merecimento e permitido. Quando teus pensamentos estão em perfeita harmonia, assim também estará a tua vida. És reflexo de tuas ações e atitudes. O universo está e estará sempre conspirando para a tua felicidade. Quando desarmonizas a tua mente logo tudo se reflete em tua vida. É assim que evoluímos. É por meio das conquistas que trabalhamos o nosso ego e por meio das perdas que aprendemos a sermos mais humildes. A humildade é o atalho para a felicidade plena. Ele quer que seja assim. Ele desejou que tudo seja assim, e assim será por toda a eternidade.

Somos sabedores das dores que causamos em nós mesmos quando atentamos contra as coisas de Deus. Se tu tens uma vida, essa vida lhe foi concedida pelo amor divino, e contra ela tu não podes atentar. Se tens saúde, agradeças; se perdes um ente querido, saiba que não há perdas para um Deus de amor. A vida é eterna, temos que acreditar que quem vos criou não vos criou para morrer, se assim o fosse ele não poderia ser chamado Deus.

O que há são separações momentâneas, temporárias. Separações necessárias ao equilíbrio de todos. A dor da distância, a saudade, nos amadurece e nos faz refletir as coisas de Deus. Existe sim a continuidade. Tudo se recria, tudo se reinventa, tudo é eterno, nada se perde. No mundo espiritual existem cidades, vilas, casas, bairros, teatros, cinemas, enfim, tudo o que for necessário para tua continuidade evolutiva; creia, isto é verdadeiro. Muitos me perguntam: então por que ninguém voltou para contar? Olha, se todos tivessem a certeza de que a vida continua, na primeira dificuldade todos meteriam uma bala na cabeça, nas primeiras dificuldades cometeriam suicídio. Imagine perder um filho, perder um pai, uma mãe, um irmão. Imagine se todos aqui presentes tivessem a certeza da eternidade; no primeiro momento de saudade, logo meteriam uma bala na cabeça, ou se jogariam de um prédio. A dúvida é o elemento mantenedor da vida. A incerteza é necessária à preservação da vida. Todos nós temos dentro do peito uma enorme dúvida, mas todos nós também temos uma enorme certeza; não devemos atentar contra a própria vida. E é isso que nos mantém evoluindo, pois a dor é um dos instrumentos da evolução.

Quando deixarmos nosso corpo físico, continuaremos como somos em nossa essência. Aquilo que construímos diariamente ao suor de nossas dores jamais se perderá. Tudo o que aprendes te será útil na vida eterna. As coisas boas ficam gravadas em nosso ser, as ruins são esquecidas e apagadas, pois que não servem para nada na erraticidade.

Existem, como disse, cidades, lugares em outras dimensões, em outras galáxias, em outros mundos que chamamos de mundos paralelos ou dimensões paralelas. Acredite, existe isto sim. Logo, todos nos encontraremos nas vidas que se seguem para o objetivo maior. A evolução plena.

Todos assistem à palestra sem piscar. Débora assiste a tudo muito assustada. As palavras daquele senhor parecem penetrar-lhe a alma, e ela fica quieta, sentada e reflexiva. Ela se lembra da dor que às vezes sente. Ela se lembra dos pensamentos negativos relacionados ao seu filho.

Vários mentores espirituais chegam ao ambiente, que se torna ainda mais sereno e calmo.

Alguns espíritos são trazidos por amigos da espiritualidade para assistirem à palestra e recuperarem o tempo perdido nas encarnações anteriores. Alguns chegam assustados, outros são familiares dos que estão naquele exato momento assistindo à palestra. A emoção toma conta do lugar. Algumas pessoas começam a chorar sem saber por quê.

Logo, aqueles parentes que são trazidos são levados até as fileiras e lhes soa permitido abraçar seus familiares.

Mãe, voltei!

Mães abraçam filhos. Filhos abraçam mães. Irmãos abraçam irmãs. Todos estão extremamente emocionados.

O palestrante percebe a chegada de espíritos de luz e se emociona. Mas se mantém focado na palestra proferida com amor.

Lucas, um dos espíritos iluminados que chegam ao centro espírita, traz consigo uma mãe que veio abraçar sua filha enquanto todos prestam atenção à palestra.

Noeli se aproxima de sua filha, ajoelha-se e abraça carinhosamente Lucimar, que percebe algo diferente em seu coração e começa, junto com Noeli, a chorar.

Logo Lucas, aproximando-se de ambas, estende suas mãos, irradiando feixes de luz para abrandar os corações saudosos e em dor.

— Não chores, Noeli – diz o iluminado Lucas.

— A saudade que tenho em especial desta filha é muito grande. Oh, meu Deus, permita que minha amada filha continue a frequentar este lugar de luz e que esta luz entre em seu ser, tornando-a um espírito iluminado.

— Que assim seja! – diz Lucas.

— Irmão Lucas, ore por minha filha.

— Olha, Noeli, sua filha foi trazida aqui hoje, porque suas preces foram ouvidas. E ainda por cima, lhe foi permitido este encontro. A justiça divina está presente a todo o momento em nossas vidas. Na vida terrena ela está ainda mais presente, pois quando encarnados, nós somos cobertos pelo véu das incertezas. Isso é o que nos faz seguir em frente. Sua filha recebe hoje uma linda e generosa oportunidade, vamos nos manter em oração para que ela seja forte em seu propósito religioso e que nunca desista de auxiliar a seu semelhante, e finalmente que ela consiga vencer as vaidades e os desafios que toda fé necessita para se fortalecer.

– Que assim seja, meu querido Lucas. Eu tenho muito a agradecer aos nossos amigos superiores que me permitiram estar neste encontro de luz.

O palestrante pede a todos que se levantem para proferirem, juntos, uma prece.

Os espíritos de luz se aproximam do convidado e estendem-lhe as mãos.

Todos ficam de pé. A prece começa:

Senhor Deus, estamos aqui hoje reunidos em Seu nome.

Venho Lhe pedir que emoldure as paredes deste humilde templo com luzes de misericórdia e amor. Peço-Lhe que permitas aos espíritos de luz que tomem este lugar para si, e que aqui seja estabelecida uma seara do bem onde a vaidade, o orgulho e a intolerância jamais consigam adentrar o pensamento e as atitudes dos membros e representantes desta que é uma casa de amor.

Mãe, voltei!

Lembro-me de Seus ensinamentos que nos foram trazidos por nosso amado irmão Jesus. Lembro a todos aqueles que assumem a responsabilidade de serem representantes da caridade que nosso querido irmão se valeu da pobreza e da simplicidade para atingir milhões de almas.

As portas desta casa hoje se abrem para que a luz que está neste momento dentro dela irradie-se, atingindo almas aflitas, corações angustiados e todos aqueles que necessitam de compreensão, luz, paz e amor.

Hoje eu declaro, em nome de Jesus, inaugurada mais uma seara de amor e caridade. Jesus, eu lhe peço que esses irmãos de luz que se encontram presentes continuem a reger e iluminar as mentes que darão continuidade a esta que é, sem dúvida, uma casa de amor.

Meus irmãos e minhas irmãs, a responsabilidade depositada sobre vossos ombros hoje é tamanha. Não se brinca com espíritos, muito menos se brinca com sentimentos. Muitos são aqueles que, despreparados, tentam estabelecer casas espíritas cheias de amor, mas sem o conteúdo mais importante para o sucesso da caridade.

Uma casa espírita precisa de três coisas para atender aos propósitos de Deus.

A primeira é a sinceridade; a segunda, a transformação moral de seus representantes e frequentadores; e a terceira é a mais importante de todas, o amor.

Sem amor nada somos, sem amor nada conquistamos, sem amor

não vamos a lugar nenhum. Sem amor somos potes vazios, somos ostras sem cascas, somos corpos vazios.

O amor é o objetivo maior desta encarnação, viemos aqui para aprender a amar; viemos aqui, porque o amor é o único sentimento que nos aproximará de nosso Pai.

Que Deus abençoe esta casa! Que Deus lhes permita a caridade.

Termino minhas palavras com o maior de todos os ensinamentos que nos foi trazido pelo nosso querido mestre Jesus, o ensinamento de todo trabalhador espírita.

Quando, em Mateus 11:28-30 Jesus nos diz

"Vinde a mim, todos os que estais cansados e sobrecarregados, e eu vos aliviarei. Tomai sobre vós o meu jugo e aprendei de mim, porque sou manso e humilde de coração; e achareis descanso para a vossa alma. Porque o meu jugo é suave, e meu fardo é leve",

Ele quer nos dizer para deixarmos sempre a porta da casa espírita aberta para que aqueles que estão cansados e sobrecarregados possam encontrar o alívio de que tanto necessitam para suas vidas. Ele nos pede para tomarmos Sua palavra e explicá-la de forma clara e objetiva, sem dogmas, alegorias e rituais desnecessários à evangelização de todos e por fim, Ele nos pede que sejamos humildes, pois é pela humildade que encontraremos o repouso de nossa luta, a paz de nossa alma e a compreensão da verdadeira luz da verdade.

Mãe, voltei!

Todos aplaudem ao orador, emocionados. Débora sente novamente um aperto no peito. Aquele que ela está acostumada a sentir quando está perto de Allan. Isso a deixa incomodada.

O orador se aproxima de Débora e lhe abraça dizendo:

– Não se turbe o vosso coração, credes que há muitas moradas na casa do Pai. Você vai passar por uma prova muito grande, não desista. Siga sempre com Jesus em seu coração. A vida não termina com esta vida.

Débora, emocionada e chorando, abraça o querido palestrante.

É uma mistura de sentimentos. Saudade dos pais, saudade do filho e o medo de que algo de ruim lhe aconteça.

Vera se aproxima e abraça Débora, carinhosamente.

Todos se abraçam, e oficialmente aquela casa espírita é inaugurada.

Após o coquetel, todos voltam felizes para suas casas.

Débora é levada por Julia, vice-presidente da mais nova casa espírita. E finalmente chega em casa.

Antes de dormir, Débora fica refletindo sobre as palavras daquele velho e sábio senhor.

"Que homem sábio!", pensa ela.

A vida que segue

Débora se dirige ao quarto de Allan e já o encontra acordado. Ela estranha o menino estar reflexivo.

— Bom dia, meu amor!

— Bom dia, mamãe!

— Já trocou de roupa tão cedo? Por que está com essa cara?

— Hoje, quero chegar cedo à escola, tenho que realizar uma tarefa com meus colegas. E ela é muito importante para mim.

— Do que se trata?

— Temos que fazer um trabalho de história para entregar ainda hoje.

— Que bom, filho! Vou me trocar e deixo você na escola.

— *Tá* bom, mamãe.

— Sábado será seu aniversário, você quer fazer alguma coisa em especial?

— Vou a uma pizzaria com meus colegas, combinamos lanchar lá e depois voltaremos para casa, vamos assistir a um filme aqui. A Michele vai trazer o aparelho de DVD e os filmes.

Mãe, voltei!

– Qual é o presente que você quer? Afinal, são quinze anos, e eu quero lhe dar o melhor presente do mundo, embora, como você sabe, nós não temos muito dinheiro.

– Ah, mamãe, não precisa se preocupar com isso. Guarde seu dinheiro para no Natal, poderemos ir visitar o vovô e a vovó, estou com muita saudade deles e da minha tia.

– É isso que você prefere?

– Sim, mãe. É isso que eu gostaria de ganhar de presente de aniversário.

– Está bom, meu filho, então ficamos combinados assim: eu vou guardar nosso dinheiro para passarmos o Natal com seus avós.

– Ótimo então, mamãe. Obrigado!

– Te amo, Allan. Mas vou comprar uma roupa nova para você usar no sábado.

– *Tá* bom, mamãe. Eu também te amo. Agora tenho que ir, já estou me atrasando.

– Espere-me, vamos juntos – diz Débora, pegando sua bolsa e fechando a janela da pequena casa.

Após deixar Allan na porta da escola, Débora segue para mais um dia de trabalho em sua rotina de diarista. Depois de se despedir de Allan e entrar no ônibus, Débora sente aquele aperto no peito; algo parece não estar bem dentro dela. Ela então se lembra das palavras do palestrante da casa espírita que dizia não existir acasos nas coisas de Deus. Mas essa angústia, o que será? Como explicar essa dor que invade seu peito? De onde vem essa angústia?

A paisagem se perde em seu olhar, e Débora fica triste. Algo não está bem.

Logo ela chega à casa de Vera.

– Bom dia, Vera!

– Bom dia, Débora, como vai?

– Eu estou bem e a senhora?

– Estou ótima, mas combinamos de não me chamar de senhora, lembra-se?

– Sim, perdoe-me – diz Débora.

– Como está o Allan?

– Está bem e feliz. No próximo sábado ele vai fazer quinze anos. Está ficando um rapazinho.

– Parabéns! Você realmente é uma pessoa que muito me surpreende. Criou sozinha o seu filho, que é um belo rapaz.

– Obrigada, Vera. Obrigada!

– Como ele está na escola?

– É um dos melhores alunos. Ele tira excelentes notas em todas as matérias.

Mãe, voltei!

– Que bom, e o que ele sonha fazer? Que faculdade?

– Ele gosta muito de coisas relacionadas a obras. Parece com o pai.

– E o pai dele tem procurado vocês?

– Nunca mais vi aquele homem. Nem sequer quer saber do menino.

– Um dia as coisas se encaixam. É assim mesmo.

– Eu já nem ligo mais. Ele é que de vez em quando pergunta pelo pai. Dia desses ao fazer um passeio da escola, acho que ele encontrou o pai dele.

– Eles se falaram?

– Nada. O Allan nem sequer conhece a cara do pai.

– Então por que você acha que era o pai dele?

– Algo dentro de mim me disse que eles se encontraram. Coisa de mãe, você sabe.

– Sim, nós, mães, temos essa coisa de pressentimento – diz Vera.

– Vou confessar uma coisa a você: hoje mesmo, quando eu estava vindo para cá, senti uma angústia que vem me acompanhando já faz algum tempo. Sabe, uma coisa estranha dentro de mim.

– Nós, espíritas, explicamos isso como mediunidade. O médium tem o poder de pressentir os acontecimentos; na verdade, isso é um tipo dentre vários tipos de mediunidade. Podemos pressentir as coisas, sejam elas boas ou ruins.

– Deus me livre, Vera, ser isso aí!

– Não estou dizendo que você é médium, mesmo porque eu não tenho o dom de saber quem é ou não médium.

– Ainda bem – diz Débora.

– Mas você deveria fazer um tratamento espiritual. Isso pode ser alguma companhia indesejável que está lhe atormentando.

– Não, eu não sinto nada demais, só essa angústia. E normalmente ela acontece quando o Allan sai de perto de mim. Estranho isso.

– Realmente é muito estranho.

– O papo está bom, mas tenho muito trabalho pela frente. Com licença, Vera.

– Vai, sim. Depois do almoço vamos até a casa espírita. Você pode me ajudar a limpar lá hoje?

– Sim, claro. Depois que eu terminar a faxina, podemos ir para lá – diz Débora.

– Combinado. Quando você terminar nós iremos.

– Até.

– Até, Débora.

Vera torna a procurar por Débora, insistindo para elas irem limpar a casa espírita.

– Débora, terminou? – pergunta Vera.

Mãe, voltei!

– Sim, *peraí*, só falta pendurar os panos de chão que acabei de lavar.

– Vou esperar você na garagem.

– Estou indo.

Débora e Vera se dirigem ao centro espírita.

– Venha, Débora, vamos dar uma ajeitada no salão para o encontro de hoje.

– Sim, onde está o material de limpeza?

– Está lá dentro, espere aqui que eu vou buscar para você.

– Está bom.

Vera vai até o almoxarifado pegar o material necessário à limpeza do lugar.

Débora senta-se em uma das cadeiras e fica com o olhar perdido em seus pensamentos.

Lembra-se de que ainda tem que passar em algum lugar para comprar a roupa nova de Allan. Fica insegura e de novo a angústia toma conta de seu peito. Seus olhos ficam marejados. Sente uma enorme vontade de chorar.

Vera se aproxima e percebe que a amiga e funcionária não está bem.

– O que houve, Débora?

– Não sei. É aquela angústia de novo. É uma dor inexplicável, uma coisa que eu não sei explicar.

– Diga-me, o que sente? – diz Vera puxando uma cadeira e sentando-se ao lado da amiga.

– Não sei explicar bem, é uma angústia. Uma vontade de chorar imensa. Parece que uma parte de mim está para ser arrancada.

– Meu Deus! – diz Vera, assustada.

Débora começa a chorar.

– Chore, minha amiga, chore. Isso vai lhe fazer bem.

Carinhosamente, Vera se aproxima ainda mais e a abraça.

Débora chora compulsivamente, chegando a assustar a amiga.

– Vou pegar um copo com água para você – diz Vera se levantando.

Rapidamente ela retorna ao ambiente trazendo em suas mãos um copo com água bem geladinha.

– Tome, fique calma!

– Não sei explicar o que acontece comigo, Vera – diz Débora tentando se controlar. – Eu não tenho nenhum motivo para estar assim...

– Deve ser coisa de sua cabeça, a ausência de seus pais, amigos, do seu marido, essas coisas.

– Não é nada disso, é uma angústia que não consigo explicar. É uma coisa que vem de dentro do meu peito.

– Beba a água e acalme-se. Se quiser, você não precisa me ajudar na limpeza. Vá para casa.

Mãe, voltei!

– Eu ainda tenho que comprar uma roupinha para o Allan usar no sábado. Eu prometi isso a ele.

– Faça isso, vá agora mesmo a algum *shopping* e compre a roupa para seu filho. Vá distrair sua cabeça. *Peraí*, que eu vou pegar sua diária na minha bolsa e já volto.

– Está bom! – diz Débora enxugando as lágrimas.

Vera pega dentro de sua bolsa o dinheiro da diária e mais alguns trocados que oferece à amiga como presente de aniversário para o Allan.

– Obrigada, Vera, perdoe-me estar assim. Realmente é uma coisa que eu não sei explicar.

– Fique tranquila. Agora vá comprar o presente do menino e depois vá para casa.

– Está bem, obrigada – diz Débora levantando-se e dirigindo-se à porta de saída do centro espírita.

– Vá com Deus, amiga, e dê um beijão no menino.

– Obrigada!

Envergonhada, Débora sai rapidamente do lugar. Seu peito está aliviado. Ela corre para pegar o metrô e vai ao *shopping* perto de sua casa comprar o presente de Allan.

Logo chega à sua casa e esconde a roupa nova, afinal ele deve usar o presente no dia de seu aniversário. É assim que ela o educa.

Passo os dias perguntando onde é que você está? Às vezes eu sinto seu cheiro e meu coração sorri.

Osmar Barbosa

OSMAR BARBOSA

As Colônias Espirituais

Existem, no mundo espiritual ou na vida eterna, cidades, bairros, vilas e lugares fascinantes. Deus quis que fosse assim para que nós, ao chegarmos lá, não tenhamos que passar por nenhum tipo de sofrimento e dor, ou até mesmo não nos sintamos constrangidos com nossa nova realidade, afinal quantas oportunidades jogadas fora?! Quanta chance nós tivemos de ser melhores! Quantas vezes fomos alertados sobre a existência eterna! Quantas vezes deixamos de ouvir aquela voz que dizia dentro de nós: não faça isso! Não fale isso! Perdoe, ame, divida, abrace! Não faça aborto! Não maltrate! Não calunie, não julgue, enfim, tudo aquilo que conduz nossa existência! Nossas atitudes. Nossos atos. Nossas decisões equivocadas e as boas também.

As colônias são organizadas e dirigidas por espíritos que conseguiram evoluir mais do que nós. Espíritos que compreenderam e não se negaram a transformar suas vidas em caridade e amor. Esses espíritos compreenderam que é amando que se consegue aproximar-se ainda mais da perfeição, que é Deus.

Ele, nosso Pai, é justo, e sendo justo não pune nenhum de Seus filhos, nem os mais rebeldes e indisciplinados. Quando falhamos, recebemos uma nova oportunidade. Ele permite que tenhamos tantas oportunidades quantas forem necessárias para que possamos compreender que só o amor vale a pena.

Quando atingimos determinado grau evolutivo somos convidados a auxiliar em outros mundos, outros planos, outras cidades, enfim, auxiliar o Pai para que todos os Seus filhos, nossos irmãos, tenham oportunidades iguais.

Deus é amor.

Deus é misericórdia. Não se esqueça disso...

Deus é a perfeição. Você pode achar que tudo termina quando seu corpo falha, quando a vida orgânica cessa. Mas não é assim que as coisas funcionam. Deus é soberanamente justo e bom. Aquele que busca, acha; o que planta, colhe. E é assim que vamos moldando nossos espíritos para a vida eterna. Somos o resultado de nossas escolhas e decisões, lembre-se sempre disso...

Se pensarmos como espíritos eternos que somos, veremos que uma encarnação não é nada para uma existência sem fim. Se consultarmos nossos sentimentos mais profundos, descobriremos que tudo tem um propósito. Que tudo está intrinsecamente ligado à divindade, que é Deus.

Desde que a humanidade é humanidade, ela procura uma resposta para esse sentimento que todos carregamos dentro de nós. Quem sou eu? De onde vim? Para onde vou? Por que minha mãe é essa mãe? Por que meu pai é esse pai? Por que nasci neste continente, nesta pele, neste corpo? Por que? Por que? Por que?...

A resposta está na fé, naquilo que Ele deixou dentro de cada criatura criada por Ele para a perfeição.

Tudo o que vem de Deus é de graça, tudo...

As frutas, as flores, os rios, os mares, os seres, tudo o que Ele criou é para a felicidade plena de Seus filhos.

Basta, para tanto, que busquemos as respostas para esses questionamentos. Basta crer que existe algo além de nosso corpo. Basta crer que a vida não se resume a esta vida.

A Colônia Espiritual Amor e Caridade fica dentro da Colônia das Flores. Está localizada sobre o Estado de Santa Catarina e adentra o Paraná, o Mato Grosso e São Paulo.

Nela, existem vários galpões. Alguns funcionam como enfermaria, outros, como escolas e enfermarias de refazimento.

Daniel é o espírito iluminado que dirige esta colônia, auxiliado por tantos outros espíritos que já alcançaram algum tipo de evolução.

Nina é a responsável pela ala das crianças que chegam a Amor e Caridade, vitimadas pelo câncer, pois essa é a especialidade desta colônia.

Ela foi criada também para auxiliar um grupo de espíritos em sua evolução. Na colônia, são assistidos jovens e adultos também vítimas de câncer.

Além deste nobre trabalho, esses espíritos auxiliam diversos outros espíritos que estão encarnados ainda realizando e buscando sua evolução pessoal, pois sabemos que a evolução é uma coisa muito pessoal. Ninguém evolui por outro.

Mãe, voltei!

O amor de uma mãe por um filho não pode terminar simplesmente com a morte. E não termina...

O amor é o mais nobre dos sentimentos, é o sentimento que levamos para a vida eterna e é por meio dele que somos diferenciados na erraticidade. Aquele que mais amou é o que mais merece respeito dos outros espíritos que vivem nessas colônias.

Existem ainda lugares sombrios, onde os espíritos mais rebeldes devem passar para, por meio do sofrimento, aceitar sua real condição. Não é punição, é justiça. Lembrem-se sempre disso...

Esses lugares são chamados de zona de purgação ou Umbral. É um lugar onde ninguém deseja ficar, pois é escuro e sombrio, frio e lamacento.

Há, no Umbral, organizações criminosas. Lá, os espíritos maus se atraem pelo sentimento de ódio e rancor. Deus permite que esse lugar exista, porque Ele tudo permite para Seus filhos evoluírem, lembremo-nos de que somos eternos e temos uma eternidade pela frente, tempo suficiente para o arrependimento e ajuste.

As colônias são muito próximas da Terra. Elas ficam sobre as cidades em que vivemos. E os espíritos amigos intercedem a todo momento em nosso dia a dia. Eles têm a missão de nos auxiliar. Somos guiados pelos espíritos muito mais do que imaginamos.

Assim é a vida no mundo espiritual.

Laços eternos

Sábado, sete horas da manhã.

Débora abraça carinhosamente Allan e lhe aperta.

– Mãe, você está me machucando.

– Bom dia, meu amor! Parabéns pelo dia de hoje! Quero que você saiba que te amo profundamente e lhe desejo toda a felicidade do mundo.

– Obrigado, mãe! Agora dá para parar de me apertar?

– Gostoso! – diz Débora, apertando ainda mais o rapaz.

Allan se esforça para se livrar do abraço apertado de sua mãe.

– Mãe, me solta! – implora o menino, angustiado.

Débora então solta Allan após beijá-lo várias vezes.

– *Tá* bom, mãe. *Tá* bom – diz o menino.

– Eu te amo mais do que tudo nesta vida – diz Débora.

– Eu também, mãe! Agora, por que você me acordou tão cedo?

– Eu tenho uma faxina extra hoje.

– Puxa, mamãe! Eu já pedi várias vezes para você não trabalhar nos fins de semana. Você já trabalha muito e fica cansada.

— Toma aqui o seu presente — diz Débora, entregando a Allan dois pacotes.

— Não precisava, mamãe.

— É só uma roupa nova para você usar hoje.

— *Tá* bom, mamãe, muito obrigado — diz Allan.

— Eu vou fazer essa faxina e não demoro, quero voltar cedo para preparar um lanche para você e seus amigos. Quantas crianças vão vir?

— Umas cinco ou seis, no máximo; não gosto de confusão, você sabe.

— Está bom. Vou preparar cachorro-quente e pipoca.

— Não faça muita coisa não, mãe! Vamos primeiro a uma pizzaria, depois voltamos para casa para assistir a alguns filmes.

— Combinado. Agora vou sair, mas volto cedo — diz Débora beijando suavemente o rosto de Allan.

Débora sai para fazer a faxina extra do sábado. Allan fica na cama até mais tarde, após o que decide dar uma volta no bairro e encontrar-se com os amigos.

— Olha se não é o Allan, filho da Débora, que está vindo ali! — diz Pedro, um amigo da escola.

— E aí Allan, como vai?

— Fala aí, Pedro!

– Tudo bem?

– Sim. Hoje é meu aniversário.

– Olha, parabéns, cara! Vai ter festa?

– Não. Eu e um grupo da escola vamos comer uma pizza lá na praça mais tarde.

– Posso ir?

– Claro, você é bem-vindo.

– Beleza, então encontro você mais tarde na pizzaria.

– *Tá* legal.

– A que horas você marcou com o pessoal da escola?

– Seis horas.

– Estarei lá. Tchau, amigo!

– Tchau, Pedro!

O dia passa rápido, e Allan se diverte nas vielas e ruas da humilde comunidade.

– Mãe, que horas são?

– Já vai dar cinco horas, Allan.

– Vou tomar banho então para ir à pizzaria encontrar a turma.

– Use a roupa nova que te dei – diz Débora, feliz.

Após alguns minutos...

Mãe, voltei!

– Nossa, você está lindo, meu filho!

– Sério, mãe?

– Sim, você sempre foi lindo. A roupa ficou ótima.

– Mãe, você se lembra daquele poema que fiz para você?

– Qual mesmo?

– Aquele que fiz na escola.

– Não me lembro muito bem não.

– Então jamais esqueça estas palavras:

Mãe, você é doce como uma uva e quente como o sol do verão. Seu amor me aquece. Você é como uma luz que clareia minha caminhada nesta vida que seu ventre me deu. Tenho muitos motivos para ser feliz, mas felicidade mesmo é ser seu, pertencer à única e mais bela mulher.

– Lindo, garoto, você é lindo! – diz Débora, correndo e agarrando Allan.

– Agora me deixe ir encontrar meus amigos, mãe.

– *Tá* bom, vá. Pegou o dinheiro para pagar a pizza?

– Sim. Eu tenho uns trocados que guardei para esse dia.

– Você é o amor da minha vida.

– Tchau, mãe!

– Tchau, filho, vai com Deus!

Após um longo e estranho abraço, Allan beija suavemente a face esquerda de Débora e lhe sussurra: mãe, eu te amo, sempre...

Assim o jovem sai de sua casa e se dirige à pizzaria do bairro.

Todos os seus amigos estão presentes. Allan é só sorriso e alegria.

A praça está cheia naquele início de noite quente de primavera. Há pessoas se divertindo, crianças brincando, barracas que vendem doces e salgados. O lugar é alegre e feliz.

Oito homens fortemente armados surgem de uma viela e começam a beber cerveja em um bar ao lado da pizzaria. A cena é comum na comunidade.

Allan fica assustado e admirado com tal presença. O assunto toma conta da mesa.

– Olhem as armas desses caras! – diz Michele.

– Sim, é um armamento perigoso – diz Pedro.

– São esses caras que minha mãe vive me alertando para ter cuidado com eles – diz Allan.

– Eles não fazem nada com a gente não – diz Bruna.

– Acho melhor a gente ir embora – diz Pedro.

– Sim, pede a conta aí e vamos embora, Pedro – concorda Allan.

– É melhor a gente ir logo assistir aos filmes que eu trouxe – diz Michele.

Mãe, voltei!

Após pagar a conta o grupo de adolescentes decide seguir para a casa de Allan, conforme combinado.

Logo que eles saem, um grupo de policiais invade a praça atirando no grupo de marginais que bebe cerveja.

São muitos tiros. Os marginais reagem atirando nos policiais. Logo, um dos indivíduos que estava bebendo cai, alvejado por um tiro no peito. Um intenso tiroteio é travado entre policiais e bandidos.

As pessoas correm para todos os lados. Pais seguram seus filhos e se escondem atrás das mesas e barracas do lugar. O desespero toma conta de todos. Mães gritam por seus filhos. Allan e seus amigos decidem correr em direção a uma das ruas para se afastarem do perigo.

Débora, de sua casa, ouve os tiros e corre para trocar de roupa para ir atrás de Allan.

Tiros para todo lado. Pessoas se escondem dentro dos comércios. Casas são trancadas rapidamente. O desespero é grande. Vários tiros são dados na direção em que os meninos fogem. Uma bala atinge em cheio a cabeça do jovem Allan, que agoniza sozinho caído no chão. Uma poça de sangue fica a seu lado. Allan ainda respira com dificuldades quando algumas pessoas conseguem se aproximar dele para tentar socorrê-lo. Desesperados, seus amigos correm sem olhar para trás.

Michele e Bruna correm para a casa de Allan para avisar Débora sobre o ocorrido; mesmo antes de chegar, elas encontram com Débora que segue a passos rápidos em direção ao tiroteio.

– Dona Débora, o Allan foi baleado – diz Michele se aproximando.

– Meu Deus! – diz Débora. – Ele está bem?

– Ele levou um tiro na cabeça, mas está vivo – diz Bruna.

– Onde ele está?

– Ali, tia, ali – diz Michele, apontando para uma viela.

Débora, em desespero, se aproxima de Allan. Jogando-se ao chão, pega a cabeça ensanguentada do menino e coloca em seu colo. Allan respira com muita dificuldade.

– Gente, chama uma ambulância! – grita Débora, desesperada.

Os bandidos fogem. O tiroteio termina com um policial baleado e um bandido morto.

Algumas viaturas da polícia chegam ao local.

Os moradores correm para ajudar Débora a socorrer Allan que agoniza.

Um carro é providenciado e Allan levado para o hospital. Débora carrega seu filho no colo. Ela consegue forças inexplicáveis.

Alguns espíritos amigos estão por perto.

Após algum tempo ela se acalma e sai do estado de choque em que estava. Luana, sua amiga e vizinha, se aproxima com notícias do menino.

– Débora, o Allan está resistindo, vamos orar para que Deus permita salvar sua vida.

Mãe, voltei!

– Meu filho vai morrer – diz Débora, sem chorar. Sua fisionomia é fechada. Ela está irreconhecível. Sua doçura se transforma em seriedade e frieza. Seus pensamentos são um só: "para onde meu filho for eu vou com ele", – dizia ela em seus pensamentos.

– Que nada, amiga! Tenha fé, Deus vai salvar o Allan.

– Você sabe que dia é hoje, Luana?

– Eu sei, é o aniversário dele.

– Pois eu vou lhe dizer uma coisa: se meu filho morrer, eu morro com ele.

– Pare de falar bobagens, Débora! Primeiro, porque o Allan não vai morrer; e segundo, porque você não pode fazer isso.

– Amiga, juro que se o Allan morrer, eu me mato e vou atrás dele onde quer que ele esteja.

– Jesus, tenha misericórdia! Pare de falar bobagens, Débora!

Allan agoniza respirando por meio de aparelhos que ainda o mantêm vivo. Espíritos amigos chegam ao lugar e impõem suas mãos para acalmar Débora que subitamente sente uma paz interior. Os espíritos então começam o desencarne de Allan. O menino está sendo levado para o mundo espiritual. A morte é inevitável.

Nina é o espírito escolhido pelo mundo espiritual para acompanhar o desenlace de Allan. Acompanhada de outros espíritos que conduzirão Allan para uma das colônias espirituais, ela tem a seu lado Felipe, seu companheiro inseparável que já está com ela há milênios. Nina se aproxima e fica ao lado de Débora. Felipe impõe suas mãos sobre Débora, irradiando-lhe fluidos de luz. Vários outros espíritos se aproximam para harmonizar o lugar. Outro espírito amigo afasta espíritos intrusos que ficam assustados e muito incomodados com a presença de tamanha falange de luz. Tudo está em harmonia, e Allan deixa a vida terrena, levado por anjos de luz.

Uma enfermeira procura por Débora para dar-lhe a notícia.

Nina e Felipe estão ao lado de Débora.

– Boa noite!

Débora se levanta, sabendo que a notícia não é boa.

– A senhora é a responsável pelo menino baleado?

– Sim – diz Débora, amparada por Luana.

– Infelizmente seu filho morreu. Fizemos o possível, mas o tiro de fuzil destruiu qualquer possibilidade de vida do menino.

Débora desmaia e é amparada pela enfermeira e Luana. Elas colocam Débora em uma maca e a médica de plantão decide dar-lhe um forte calmante e deixá-la descansando por algum tempo.

– A senhora é da família? – pergunta a doutora Márcia ao se aproximar.

– Não, somos amigas. Ela não tem parentes aqui.

Mãe, voltei!

– Alguém tem que providenciar o enterro do menino.

– Vou pedir ao meu marido para ver o que pode fazer – diz Luana.

– Eu a mediquei com um forte calmante, vou pedir uma ambulância para levá-la para casa. Vou prescrever outro remédio para mantê-la serena para que possa suportar tamanha dor. Meus sentimentos – diz a médica.

– Obrigada, doutora – diz Luana.

– Que Deus conforte essa mulher! Outra coisa, eu mesma vou atestar o óbito do menino, evitando o IML.

– Obrigada, doutora.

Débora é levada para casa em uma ambulância enquanto Juracy, esposo de Luana, providencia o enterro do menino Allan.

Todos estão chocados, tristes e revoltados no lugar.

Após algum tempo, Débora está em sua casa descansando, dopada pelo medicamento, quando Luana a deixa dormindo e vai para casa cuidar de seus filhos.

Débora acorda ainda tonta.

"Onde estou? Quem me trouxe para casa?", pergunta-se Débora, apoiando-se na cama.

Seus pensamentos estão confusos. Ela mal consegue ficar de pé. O efeito do remédio a deixa fraca e sonolenta.

Com muito esforço, Débora consegue ir até a cozinha e pega um copo com água. Encostando-se na geladeira ela revê toda a cena em seus pensamentos. Vê o seu amado filho morto. O sangue ainda em suas mãos. Uma forte angústia invade seu peito. Débora está decidida a dar um fim em sua vida.

"Eu não vou viver sem você, Allan. A mamãe está indo. Eu vou encontrá-lo aonde quer que você esteja. Prometo! Eu vou achar você nem que seja no quinto dos infernos", diz Débora, nervosa e tremendo.

Ela volta para a cama e fica pensando como irá tirar sua vida.

Débora lembra-se de que no armário tem alguns remédios. Uma cartela de um forte calmante que, se tomado em dose alta, é capaz de matar. Esse era o remédio que ela tomava antes de conquistar tantas faxinas e estabilizar sua vida financeira. Ela está decidida.

Com muita dificuldade ela consegue voltar à cozinha e pegar o medicamento. Ela olha e vê que o remédio está fora da validade. Seus pensamentos estão confusos, há uma perturbação mental e espiritual nesse momento.

Nina se aproxima e começa a lhe intuir para não fazer aquilo. Felipe e outros espíritos amigos chegam rapidamente ao lugar e todos começam a falar no ouvido de Débora. "Não faça isso, lembre-se da palestra no centro espírita, você vai sofrer... Você não vai achar o Allan..."

A palestra do centro espírita volta à sua mente. Por alguns segundos

Mãe, voltei!

Débora pensa em desistir do feito. Lembra-se do velho amigo que lhe tratou com tanto carinho e até a alertou que aquela palestra era para quem precisava ouvir. Lembrou-se com ternura do palestrante.

Mas Débora está decidida e atormentada. Não dá ouvidos aos seus pensamentos e à razão, e toma toda a cartela do medicamento e volta para o quarto ainda mais perturbada. Ela se deita e puxa uma coberta para aquecer seu corpo que começa a esfriar rapidamente. A morte é iminente.

Nina e Felipe nada podem fazer e esperam pelo desencarne de Débora para conduzi-la às colônias.

Uma forte luz invade o ambiente. Todos os espíritos ficam esperando pela aparição. Eles já estão acostumados a essa situação. Eles sabem que tamanha luz só pode ser de um espírito de enorme grandeza espiritual. Daniel, o mentor espiritual da colônia espiritual Amor e Caridade, chega ao lugar.

Nina, surpresa com a chegada do nobre amigo, pergunta:

– Daniel, o que fazes aqui?

– Eu vim buscá-los.

– Como assim? – pergunta Felipe.

– Venham comigo – diz o mentor.

– Mas Daniel, temos que assistir Débora, foram essas as recomendações que recebemos. Falta pouco para iniciar-se seu desenlace.

– Venham comigo, que eu vou lhes explicar o que teremos que fazer daqui por diante – insiste Daniel.

– Sim, Daniel – diz Nina sem titubear.

Daniel, Nina e Felipe saem do ambiente e deixam Débora sozinha, agonizando em seu leito de morte. Logo, o ambiente começa a escurecer. Não há mais o suporte dos espíritos iluminados.

Mesmo ante a ordem dada por Daniel, antes de se afastar definitivamente de Débora, Nina lhe estende as mãos e irradia sobre seu corpo fluidos de conforto e serenidade.

Felipe fica feliz com a atitude de Nina e sorri.

Daniel permanece calado e observa tudo, transmitindo a todos no ambiente muita luz.

Os iluminados deixam o lugar.

Após resolver as coisas em sua casa, Luana volta rapidamente à casa de Débora. Ela parece pressentir que algo não está bem.

Evitando fazer barulho, Luana entra lentamente no quarto e observa Débora deitada em sua cama e supõe que esteja dormindo. Ela vai até a sala, verifica que está tudo em ordem e segue até a cozinha. Logo, vê sobre a pia uma cartela de medicamento totalmente amassada e sem nenhum comprimido. O pior pensamento logo invade a mente de Luana, e ela percebe que algo não está bem. Luana corre ao quarto e se aproxima

Mãe, voltei!

de Débora, tentando ouvir-lhe a respiração. Luana percebe que Débora respira com muita dificuldade. Ela começa a entrar em desespero e a chorar. Débora agoniza no leito de morte.

Imediatamente Luana corre à sua casa e chama seu marido para ajudá-la a socorrer sua amiga. Todos estão desesperados.

Um carro é providenciado e Débora é levada ao hospital mais próximo e dá entrada na emergência.

Seu estado é gravíssimo e logo ela entra em coma profundo. Os médicos tentam de tudo para salvar-lhe a vida. Ela é colocada no centro de tratamento intensivo e mantida viva por aparelhos. Seu estado é extremamente grave.

Ainda que a vida me mostre escuridão, há uma luz que nunca vai se apagar em mim.

Osmar Barbosa

OSMAR BARBOSA

A vida em outra vida

Débora acorda atordoada e confusa. Parece que dorme acordada. O lugar é escuro. Uma chuva fina molha seu corpo, jogado ao chão lamacento. Alguns espíritos estão à sua volta olhando-a fixamente. Ela então se assusta com aqueles espíritos.

– Meu Deus, que lugar é esse?! Onde estou? Socorro!

Tenta se levantar, mas suas pernas estão fracas. Sua mente está confusa, seu corpo está molhado. Ela sente frio.

"O que faço aqui?", pergunta a si mesma, evitando olhar para os espíritos que estão em vigília.

– Deus, me ajude! – diz ela.

Débora deixa seu corpo cair ao lembrar-se da morte de Allan. Logo, ela se lembra dos comprimidos e da promessa que fez a si mesma.

– Deus, será que eu morri?... Eu vou te achar onde você estiver, meu filho – diz Débora, chorando.

– Acordou, desgraçada? – diz uma mulher negra se aproximando. – Acordou, sua vagabunda, miserável! – insiste a mulher.

Mãe, voltei!

– Sai para lá moça, não a conheço! Com quem você pensa que está falando? – diz Débora.

– Com você mesma, sua suicida desgraçada.

– Eu não me suicidei, simplesmente estou atrás do meu filho que foi covardemente assassinado lá no morro.

– Filhos assassinados não vêm para cá não, minha senhora. Só vêm para cá porcos e gente imunda como você – insiste a mulher.

– Por que você está me tratando assim? Eu não lhe conheço e ainda por cima não lhe fiz nada.

– Porque você tirou o que ninguém pode tirar. Você atentou contra a lei maior. Você tentou contra a sua própria vida. Você tentou contra a oportunidade que lhe foi oferecida.

– O que foi que tirei?

– Sua vida, sua vaca! Sua vida – diz outra mulher se aproximando.

– A vida é minha e faço dela o que quiser – diz Débora.

– Tudo bem, a vida é sua e blábláblá, sem problemas. Você só não vai ficar aqui entre nós. Você entendeu? Vá para o inferno, sua desgraçada – diz a mulher se aproximando de Débora.

Assustada e com medo, Débora fica de pé. Suas pernas ainda estão fracas e ela bamboleia sobre o frágil corpo.

Os espíritos riem de Débora.

– Vai logo embora daqui, sua porca imunda – insiste a negra.

Débora se põe a caminhar com muita dificuldade em direção a um vale onde há árvores tortas e muita névoa. Ela está no portão de entrada do Vale dos Suicidas.

Uma forte luz aparece e assusta a todos os que estão à sua volta.

Os espíritos que lá vivem já estão acostumados a essas visitas.

– Olha, lá vem aqueles espíritos de luz de novo – diz a negra, afastando-se rapidamente de Débora e da luz.

Débora leva as mãos ao rosto como se protegesse da intensa luminosidade que lhe ofusca a visão.

Nina e Felipe, auxiliados por um índio de estatura física enorme, surgem e se aproximam de Débora.

– Olá, minha irmã! – diz Nina abrindo os braços e se dirigindo a Débora, carinhosamente.

Assustada, fraca e afoita, Débora se aproxima de Nina e se joga nos braços dela.

Débora começa a chorar, arrependida de sua atitude.

– Tenha calma! – diz Felipe, se aproximando.

– Quem são vocês?

– Somos seus amigos do mundo espiritual. Viemos aqui para lhe ajudar.

Mãe, voltei!

– Vocês vieram me ajudar?! Então me ajudem achar meu filho, o Allan! Vocês são os meus anjos da guarda?

– Se isso nos for permitido, sim, iremos lhe ajudar – diz Nina.

– Nós não somos seus anjos da guarda – diz Felipe.

– Que lugar maldito é esse? O que vim fazer aqui? Por que fui trazida para cá? Será que eu morri? – pergunta Débora.

– Acalme-se, Débora, vou lhe explicar como são as coisas por aqui. Vamos nos sentar, por favor – diz Nina.

Todos se sentam sobre um gramado amarelado e marrom às margens de um caminho que leva a uma grande muralha.

Nina então começa a falar.

– Você não se lembra da palestra que ouviu no centro espírita, Débora? O sentido da vida é a evolução. Como nos disse nosso querido irmão Jesus – diz Nina.

– Creia, teus tesouros estão onde está o teu coração – diz Felipe completando o ensinamento.

– Nessa longa viagem de aperfeiçoamento encontramos diversas estações, Débora, uma delas é o Umbral – diz o Índio, se aproximando.

Nina prossegue explicando a Débora o que é o Umbral.

– Débora, o Umbral funciona como região destinada a esgotamento de resíduos mentais, aquilo que juntamos em nosso consciente e inconsciente, entende? O Umbral é uma espécie de zona purgatorial, onde se queima o material deteriorado das ilusões que adquirimos por termos atacado e menosprezado o sublime ensejo de uma existência terrena. Tudo aquilo de inútil. Tudo o que nós juntamos para o nada. Aquilo que nos distancia do objetivo maior da Criação.

– Sim, Nina, estou entendendo – diz Débora.

– Sente-se aqui, por favor, Débora, mais perto de mim – sugere Nina.

– Sim – diz Débora sendo apoiada por Felipe, para sentar-se sobre uma pedra mais próxima de Nina.

O Índio então acende uma pequena fogueira para iluminar e aquecer o sombrio e frio lugar.

– Posso continuar, Débora?

– Sim, Nina, por favor!

– Você está se sentindo melhor? – pergunta Felipe.

– Sim, sinto uma paz inexplicável dentro de mim – diz Débora.

Nina então prossegue:

– Débora, vou lhe dar alguns exemplos de porque somos trazidos para cá: a vingança, o ódio, a inveja, o rancor, a raiva, o orgulho, a soberba, a vaidade, o ciúme, os vícios, a avareza etc. são os sentimentos que trazem para cá aqueles que se habituam a conviver com eles. O exercício destes sentimentos impregna a alma que precisa ser depurada para seguir em frente.

Mãe, voltei!

As almas impregnadas com esses sentimentos se encontram intoxicadas e necessitam de um expurgo, necessitam de uma limpeza, um afastamento dessas que são as piores energias que estão condensadas em nosso ser. Todas as pessoas se atraem por afinidades e semelhanças.

Isto acontece na Terra e no mundo espiritual. Não tenha dúvida disso! Desta forma, todas as pessoas com sede de vingança e ódio acabam se atraindo para localizações comuns do outro lado da vida. Exatamente como é aqui. Deus é justo, lembre-se sempre disso. Você está compreendendo, Débora?

– Sim, Nina.

– Posso prosseguir?

– Sim, claro.

– Então vamos lá: juntas, as forças mentais dessas pessoas acabam construindo todo o ambiente. Fica fácil perceber que um local repleto de pessoas emocionalmente desequilibradas que estão unidas pelo pensamento não é um local bonito e agradável, não é mesmo?

– Sem dúvida – diz Débora.

Nina prossegue:

– Dessa forma o Umbral nada mais é do que o reflexo dos pensamentos, desejos e vontades de inúmeras pessoas semelhantes naqueles sentimentos negativos que acabo de listar acima. Estes sentimentos intoxicam a alma e dificultam ou impedem que essas almas recebam ajuda de parentes, amigos, espíritos superiores e tudo mais.

– Então, por que você veio me ajudar?

– Na verdade, estávamos em sua casa na hora em que você decidiu pôr fim à sua vida.

– E vocês não fizeram nada?

– Fizemos sim, fizemos muito por você. Você não se lembra agora, mas nós ficamos falando ao seu ouvido. Não faça isso! Não faça isso!

– Eu não me lembro.

– Pois é assim mesmo.

– Por que vocês estão me ajudando? Eu não me lembro de ter conhecido vocês, e tampouco que vocês sejam meus familiares.

– Na hora certa nós iremos revelar porque estamos ao seu lado.

– Sem problemas – diz Débora.

– Podemos continuar a lhe explicar o que é isso aqui? – diz Felipe se levantando.

– Perdoem-me – diz Débora.

Nina prossegue então.

– Na Terra só é possível ajudar as pessoas que querem receber ajuda, que aceitam ajuda; e para ser ajudado, você precisa primeiro reconhecer seu erro, conhecer-se a si mesmo. Aqui, no outro lado da vida, é a mesma coisa, Débora. Se você sofre por ter dentro de si o sentimento de vingança, só pode ser curada deste sofrimento se conseguir perceber que precisa de ajuda e aceitar essa ajuda. Somente nesta situação é que você consegue ser ajudada a sair das zonas umbralinas.

– Eu quero a ajuda de vocês. Reconheço que não devia atentar contra a minha própria vida. Eu errei – diz Débora.

– Nem tudo está perdido, confie em mim – diz Nina.

– Mas esse lugar é ainda pior do que você imagina, Débora – diz o Índio.

– Gente, esse lugar é horroroso mesmo! Isso aqui é o inferno? Por que Deus permite que exista um lugar como esse? Foi Deus quem fez isso aqui?

– Débora, Deus nos permite tudo, Ele nos deu o livre-arbítrio. Lembre-se sempre disso quando você pensar em Deus. Você já ouviu falar sobre isso lá no centro espírita, não ouviu?

– Sim, o palestrante me explicou o que é livre-arbítrio.

– Pois bem. O homem tem total liberdade para fazer tudo de ruim ou tudo de bom. Não é assim na Terra? Você pode fazer o que quiser. Você pode ser um anjo em pessoa, mas também pode ser um demônio, não é assim aqui? – diz Nina.

– Sim, somos livres – diz Débora.

– Débora, quando o homem faz ou constrói algo de ruim acaba se prejudicando com isso, e aos poucos, com o passar de anos ou séculos, vai aprendendo que o único caminho para a libertação do sofrimento e da felicidade plena é a prática do bem.

As vidas na Terra e no Umbral funcionam como grandes escolas onde aprendemos no amor ou na dor. Ninguém vai para o Umbral por castigo, o espírito vai para o lugar que melhor se adapta à sua vibração espiritual do momento.

– Entendi, Nina. Agora compreendo por que vim parar aqui.

– Débora, quando o espírito deseja melhorar, existe quem o ajude, não tenha dúvida disso. Quando o espírito não deseja melhorar, ele fica no lugar em que escolheu, é assim o Umbral, é assim a vida. Todos que sofrem no Umbral, desejando ou não, um dia serão resgatados por espíritos do bem, assim como nós, e serão levados para tratamento em colônias espirituais, para que melhorem e possam viver em planos de vibrações superiores.

– O que é isso?

– Isso o quê?

– Essa tal de colônia espiritual?

– São cidades de apoio e ajuda para todos os que desencarnam – diz Nina.

– Como assim?

– Tenha paciência que logo, logo você vai saber o que são as colônias espirituais.

– Deixe-me terminar de lhe explicar umas coisas básicas, antes de seguirmos para o próximo ponto – diz Nina.

Mãe, voltei!

– Perdoem-me minha angústia – diz Débora.

– Fique tranquila, compreendemos o que está acontecendo com você neste momento – diz Felipe.

– Débora, deixe-me lhe ensinar uma coisa: os planos de Deus são convergentes, ou seja, tudo converge para cima, onde estão a pureza e a excelsa existência.

– Então, por que esses espíritos permanecem aqui, Nina?

– Existem muitos que ficam no Umbral por livre e espontânea vontade, aproveitando-se do poder e dos benefícios que acreditam ter em seus mundos. Assim como na Terra, onde um traficante de drogas, por exemplo, sabe e tem consciência do mal que faz, porém aceita viver dessa forma. A diferença no Umbral é que se tem a consciência da vida eterna e você pode ficar ou não nessa condição. Isso só depende de sua vontade. Na verdade, muitos espíritos não querem evoluir.

– Agradeço a vocês por estarem me ajudando – diz Débora, emocionada. – E espero sinceramente que eu não esteja atrapalhando vocês. Quero aprender muito sobre tudo isso que vocês estão me explicando.

– Estamos aqui para isso, Débora – diz o Índio.

– Esta muralha ao nosso lado... Que lugar é esse?

– Aqui é a entrada do Vale dos Suicidas. Este é um lugar muito visitado por espíritos bons, assim como nós.

– Por quê? – pergunta Débora, curiosa.

– Aqui é onde vivem muitos espíritos, os que mais recebem orações vindas da Terra. Por isso é que constantemente eles são visitados por amigos de luz.

– Entendi – diz Débora.

– Nossa missão nesse lugar é tentar resgatar aqueles que desejam sair daqui por terem se arrependido com sinceridade do que fizeram. Os espíritos ruins fazem suas visitas para se divertirem, para zombarem ou maltratarem inimigos que aqui se encontram em desespero.

Felipe interrompe dizendo:

– Existem ainda, Débora, algumas poucas cidades de drogados de porte grande aqui no Umbral. Realizam-se lá grandes festas e são cidades extremamente movimentadas – completa Felipe.

– Não podemos nos esquecer disso – adverte o Índio.

– Nina, por que essa chuva não para?

– Responda para ela, por favor, amigo Índio.

– Com prazer, Nina. – Grandes tempestades de chuva e raios ocorrem a todo tempo no Umbral, Débora. Essas tempestades têm importante função aqui.

– Como assim?

– É por meio delas que se conseguem limpar os excessos de energias negativas acumuladas no solo e no ar, tornando o ambiente menos insuportável aos seus habitantes. Daí porque o Umbral e é um lugar lamacento.

– Perdoem-me, mas por que vocês estão me explicando tudo isso?

– É para que você saiba a dimensão do problema que teremos pela frente – diz Nina.

– Tenho medo desse lugar... – diz Débora.

– Como assim? Você não quer achar seu filho, o Allan? – insiste Felipe.

– Sim, foi por isso que cometi essa loucura.

– Então, como é que nós poderemos procurá-lo sem você saber onde está se metendo?

– Nós teremos que visitar todos esses lugares?

– Sim, Débora, nós não sabemos onde ele está.

– Mas vocês são espíritos iluminados! Como assim, não sabem?! – pergunta Débora.

– Ué, por que deveríamos saber onde está seu filho? Já não lhe expliquei que as coisas aqui se assemelham às de lá?

– Sim, você me disse isso, Nina.

– Então, se as coisas se assemelham, nós, mesmo com toda a nossa experiência, sabedoria e luminosidade, nem tudo sabemos. Muito menos onde está um menino que morreu assassinado – completa Felipe.

– Meu Deus! – diz Débora, levando a mão direita sobre a boca.

– O que houve, Débora?

– Nada, só fiquei mais confusa ainda. Pensei que havia anjos aqui e que esses anjos trabalhassem para nos ajudar. Anjos de Deus, sabe? É que anjos, assim como vocês, sabem de tudo.

– Sim, nós sabemos e existem sim anjos de Deus espalhados entre nós. Daniel mesmo é um anjo de Deus.

– Quem é Daniel?

– É o presidente da nossa colônia. Foi ele quem nos pediu para ajudar você.

– Como assim, me ajudar?

– Débora, existe uma coisa que você tem que aprender logo.

– O que é?

– Regras. Regras. Aqui há regras que têm que ser respeitadas e seguidas. Nós não sabemos de tudo. Ninguém sabe de tudo. Nem aqui e muito menos quando estamos encarnados. Ele é que sabe de tudo. Só Deus sabe de tudo.

– Tudo bem. Eu sempre fui uma pessoa cumpridora de regras – diz Débora – e já entendi. – Deus sabe e cuida de tudo, é isso?

– Sim, nós compreendemos algumas coisas, mas ainda não sabemos de tudo.

Mãe, voltei!

– Entendi, Nina. Posso compreender que os mistérios de Deus estão guardados com Ele. Eu só quero achar meu filho, só isso. Eu vou seguir as regras. É só vocês me explicarem o que devo fazer, que farei com amor em meu coração.

– Agora as coisas estão ficando melhores – diz Felipe.

– Eu não concordo – diz o Índio.

– Por que o senhor não concorda? – pergunta Débora.

– Porque você deixou de cumprir a regra básica da vida, Débora.

– Qual, seu Índio?

– Não cometer suicídio. Não atentar contra a própria vida.

Débora se cala e seus olhos ficam marejados. Nina percebe o arrependimento e a tristeza que invadiram o coração de Débora.

– E você poderia deixar de ser rude com as pessoas não é, amigo Índio? – diz Nina, aproximando-se de Débora e abraçando-a.

– Não fui rude, simplesmente falei o que realmente aconteceu. As pessoas têm que aprender que nós somos espíritos em todos os lugares; o fato de estarmos desencarnados há muito tempo não nos qualifica para sabermos das coisas. Muitas das pessoas se decepcionam com o espiritismo, porque acham que nós sabemos tudo. Entram nas casas espíritas preocupadas em adivinhar seu futuro. Imagina se nós, espíritos, soubéssemos do futuro não estaríamos aqui perdendo tempo buscando nossa evolução. Sabemos que é evoluindo que aprendemos, e é evoluindo que descobrimos novos mundos, novas coisas, novas formas de existência, enfim, novidade só se consegue evoluindo e trabalhando muito.

– Olha, moço, estou muito arrependida do que fiz. Eu nem sequer acompanhei o enterro do meu filho. Não sei onde ele está e já compreendi que minha condição atual não me permitirá encontrar com ele. Fiz o que ninguém pode ou deve fazer. Eu nunca fui a um centro espírita, exceto aquela vez que fui limpar e ajudar minha amiga.

– O que você nem desconfiava é que naquele dia nós a levamos lá para lhe preparar para o que iria acontecer – diz Felipe.

– Ué, mas o Índio acabou de dizer que vocês não sabem do futuro! – exclama Débora.

– Sim, nós realmente não sabemos do futuro – diz Nina.

– Então como é que vocês sabiam o que ia acontecer com o Allan?

– À medida que evoluímos, mais informações nos são passadas. Quando atingimos certo grau evolutivo somos convidados a auxiliar os encarnados e os desencarnados. Aqui só se evolui trabalhando muito. Lembrem-se, as coisas são sempre bem parecidas aqui e lá.

– Como assim, Nina?

– Quando você está encarnado, só consegue realizar suas conquistas pessoais se esforçando e lutando muito, não é isso? Tipo se deseja um melhor salário, terá que se esforçar, estudar, fazer faculdade etc. Se quer ter um carro novo, terá que juntar dinheiro e fazer sacrifícios para realizar seu sonho, não é assim?

— Sim, é assim – diz Débora.

— Aqui não é diferente, à medida que você evolui, mais informações lhe são passadas. À medida que você estuda, se dedica, vence seus defeitos, supera os desafios e aceita com humildade, tudo fica mais claro, tudo fica mais fácil.

— Agora entendi – diz Débora.

— Que bom que você compreendeu! Assim são as coisas de Deus, lembre-se sempre: Ele é justo e bom.

— Quer dizer que o fato de eu estar aqui tem um objetivo evolutivo para mim?

— Sim, Débora, não existem acasos.

— Estou muito arrependida do que fiz. E quero lhes agradecer a ajuda.

— Mas é por isso que estamos aqui – diz Felipe.

— Sim, Débora, o seu arrependimento sincero nos permitiu estar aqui para lhe auxiliar a encontrar o Allan.

— Quer dizer que vamos encontrá-lo?

— Vamos procurá-lo – diz Nina.

Débora sorri.

— Nossa, que alegria! Obrigada, Deus! – diz ela, emocionada.

— Deus é amor, Débora, amor – diz Nina.

– Agora vamos começar logo a procurar esse garoto – diz o Índio levantando-se. Afinal, se ele não estiver aqui, temos que ir a algumas centenas de colônias para procurá-lo.

– Sim, vamos – diz Felipe.

Nina, Felipe, o amigo Índio e Débora começam a busca por Allan no Umbral.

A busca no Umbral

Após caminharem por dois dias entre os núcleos do Umbral à procura de Allan, Débora se sente desanimada e triste.

– Nina, será que o Allan está aqui mesmo?

– Sinceramente, acho que não, mas como não sabemos onde ele se encontra, temos que procurá-lo por todas as colônias.

– Ouvi o Índio falar quando estávamos para começar nossa busca que existem milhares de colônias... Como assim?

– No Brasil não existem milhares, milhares existem no planeta Terra. Cada país tem seus núcleos assistencialistas, onde todos os espíritos que desencarnam são acolhidos e auxiliados.

– Sei, Deus é amor. Isso você já me ensinou, Nina.

– Isso mesmo. Sendo Ele amor, todos os Seus filhos estão assistidos onde quer que se encontrem. Não há nenhum desencarne sem auxílio.

– Aqui no Brasil há quantas colônias?

– Algumas dezenas – diz Nina, desconversando. – Agora vamos até o portão principal no lado sul do Umbral. Tenho uns amigos lá e vou pedir-lhes informações sobre o Allan.

Mãe, voltei!

– Vamos – diz Débora.

– Vamos gente, vamos até o lado sul – diz Débora, animada.

Felipe, o Índio e o Negro, que se juntou ao grupo, seguem caminhando pelas ruas enlameadas do Umbral.

– Espere aqui, Nina – diz o Índio, pedindo a todos que parem.

– Venha, Débora, vamos nos esconder atrás daqueles arbustos – sugere Nina.

– O que será que houve?

– Não questione, obedeça – diz Felipe, puxando-as pelo braço e se escondendo atrás de uns troncos retorcidos e secos caídos no chão.

Nina, Débora e Felipe ficam em silêncio escondidos enquanto o Índio e o Negro ficam no meio da estrada à espera de uma comitiva de espíritos que se aproxima.

– Alto aí, amigos! – diz o Negro.

Um grupo de aproximadamente trinta homens, mulheres e crianças se aproxima e para perto do Índio.

– Olá, amigo! – diz o líder do grupo, descendo de seu cavalo.

– Não queremos encrenca – diz o Índio.

– Nós só queremos passar, se o senhor permitir. Eu me chamo Alonso e estamos em paz.

– Podem seguir, sem problemas. Mas que mal lhe pergunte, amigo, aonde vocês pretendem chegar?

– Estamos fugindo de um grupo de rapazes que estão saqueando as aldeias ao norte.

– E vocês permitiram isso?

– Eles são muitos, são recém-chegados a essas bandas. Não queremos confusão e preferimos fugir.

– Por que não pediram ajuda aos líderes do Umbral?

– Como dissemos, amigo, não queremos confusão, estamos muito próximos de nosso resgate.

– Está bem então, amigo. Podem seguir – diz o Índio se afastando e abrindo o caminho para a pequena caravana.

Nina observa tudo, escondida com Débora e Felipe.

– Nina, quem são eles?

– São espíritos que estão muito próximos de serem resgatados aqui do Umbral.

– Como você sabe disso?

– Olhe fixamente para suas auras e você poderá perceber que elas estão ficando um pouco mais claras. Isso indica que estão próximos de serem resgatados.

– É verdade. Quando fixo o olhar percebo que elas estão se modificando. Mas por que ficaram aqui? Mulheres, crianças? Como assim?

Mãe, voltei!

– Eu não sei o motivo, provavelmente eles cometeram o mesmo erro juntos, e assim são mantidos até que tudo se cumpra.

– Entendo. Só não entendi a parte das crianças.

– O que você não entendeu? – pergunta o Índio, se aproximando.

– Nina estava me explicando que esse grupo de espíritos que acabou de passar são espíritos que estão a caminho do resgate. Eu entendi bem essa parte, só não entendi o porquê das crianças.

– Crianças também cometem erros, senhora. Embora elas sejam assistidas por iluminados, muitas vezes optaram por estarem juntas desses que estão aqui, para auxiliá-los a suportar esse lugar. Lembre-se sempre, Débora, Deus é amor e tudo permite a Seus filhos para que se tornem espíritos melhores. O que achamos ou imaginamos ser dor, na verdade é uma oportunidade evolutiva, já que somos eternos e temos uma eternidade pela frente. Se imaginares que o que chamas de dor é passageiro e o sofrimento não é eterno, entenderás que é por meio das provas, do sofrimento e das transformações que alcançamos nossa evolução pessoal. Ninguém evolui por ninguém. A evolução é uma condição do espírito. As encarnações e desencarnações são o instrumento mais justo para aquele que busca incansavelmente seu lugar no todo.

– Somos parte do todo – diz Felipe.

– Agora entendi, quer dizer que esses filhos optaram por ficar próximos aos seus pais para auxiliá-los nessa caminhada evolutiva.

– Sim, são espíritos evoluídos que não se importam em que lugar vão viver, eles simplesmente se importam em auxiliar os espíritos que eles aprenderam a amar por meio das encarnações.

– Será isso o que acontece comigo e com o Allan?

– Só saberemos isso quando o encontrarmos. Ou se algum iluminado nos revelar.

– Os iluminados sabem de tudo?

– Não, Débora, ninguém sabe de tudo – diz Nina.

– Só quem sabe de tudo é Ele, o Criador de todas as coisas, eu já lhe expliquei isso – diz Felipe.

– Nossa, estou aprendendo tanto com vocês! – diz Débora.

– Nós também estamos aprendendo com você, Débora – diz Nina.

– Quem sou eu, Nina, para lhe ensinar alguma coisa?! – diz Débora, envergonhada.

– Estamos sempre aprendendo, Débora – diz Felipe.

– Eu já aprendi com você, Débora, que não devemos desistir nunca. Que as adversidades que se apresentam em nossa vida, na verdade, são oportunidades, e que quando desejamos, o Universo inteiro conspira a nosso favor. Tenho certeza que vamos encontrar o Allan e descobriremos por que estamos todos envolvidos uns com os outros – diz Nina.

– Eu não sei o que dizer, Nina, só quero agradecer a Deus por permi-

Mãe, voltei!

tir estar esse tempo ao lado de vocês. Obrigada a você, Nina, Felipe, ao amigo Índio e a você também, Negro – diz Débora, emocionada.

– Obrigado – diz o Negro.

Todos se abraçam e decidem continuar a busca.

Após caminharem por mais um dia, finalmente chegam aos portões do lado sul do Umbral.

– Vamos esperar aqui. Índio, vá à frente e veja se podemos nos aproximar – diz Nina.

– Espere, eu já volto – diz o Índio.

– Nina, posso lhe perguntar uma coisa?

– Sim, Débora.

– Por que esse índio ainda vive vestido de índio? Desculpe-me, mas é que já percebi que tenho minha forma, a mesma de quando eu vivia.

– Aqui no mundo espiritual aproveita-se o que há de melhor nos espíritos, Débora.

– Como assim?

– Débora, qual é a melhor parte de um dentista?

– A profissão de dentista, é claro!

– Qual é a melhor parte de um músico?

– Seu talento para a música, é claro!

– Aquilo que de melhor fazemos é o que trazemos para cá. Aqui existem médicos, enfermeiros, engenheiros, dentistas, maquinistas, músicos; tudo continua, de uma forma diferente, é claro. Mas Débora, aqui você vai usar o que de melhor você tem para alcançar sua evolução, e além de tudo tem o seu livre-arbítrio que lhe permite ser quem você é ou foi. Você pode escolher, por exemplo, ser uma marquesa ou uma duquesa, se assim lhe foi permitido ter sido em outra encarnação. Se nós não acharmos o Allan na ala sul, provavelmente teremos que ir para as outras colônias, e lá você poderá compreender melhor o que estou tentando lhe explicar. Você vai compreender por que o Índio ainda é o índio.

– Olha, posso parecer burra, mas estou começando a gostar muito disso aqui. Imagina, se fui uma marquesa, posso viver como marquesa?

– Sim, se for útil para você e para todos aqueles que necessitam de você. Embora pareça que podemos realizar todas as nossas vontades, não podemos nos esquecer de que aqui no mundo espiritual, assim como na vida material, existem regras, leis que precisam ser seguidas. Lembra das regras?

– Sim, claro que sim – diz Débora.

– Nunca se esqueça delas. Elas são muito importantes aqui.

– Entendi perfeitamente, Nina. Obrigada por sua explicação. Posso fazer outro comentário?

Mãe, voltei!

– Sim, claro que sim, Débora.

– Eu não conheci outra forma do Índio, mas que ele é lindo como índio, ah, isso é.

Todos riem de Débora.

– Olhem, falando nele, lá vem ele chegando.

O Índio se aproxima do grupo, montado em um lindo cavalo marrom.

– Podemos ir, Índio?

– Sim, Nina, todos já estão a nos esperar.

– Venha, Débora, e pare de paquerar o Índio – diz Nina.

Todos riem. O Índio fica sem entender nada.

– Gente! Onde é que você arrumou esse cavalo, amigo Índio?

– Ele é meu companheiro aqui.

– Lindo o seu cavalo!

– Obrigado.

O muro que separa o lugar é alto, tem aproximadamente sete metros de altura. Há um grande portão de madeira negra. Algumas imagens estão entalhadas como obras de arte na parte principal do portão.

Débora fica impressionada com a beleza do lugar. Ao passarem pelo portão uma linda mata se apresenta aos olhos de todos. Árvores gigantescas cobertas de folhas verdes, riachos e uma pequena cachoeira se apresentam ao olhar de todos.

Há uma aldeia de índios. Crianças correm em direção a Nina, que os recebe com um grande e caloroso abraço.

O Umbral fica para trás. Aquele local se transforma em um belo e refrescante lugar. Podem-se ouvir pássaros a cantar e animais a rosnar. Ouvem-se gritos de macacos, e borboletas enfeitam ainda mais a visão de Débora.

– Venha, Débora! – convida Nina.

– Nina, que lugar lindo é esse?

– Aqui é a entrada e saída sul do Umbral. Esses índios vivem aqui, porque escolheram ser os guardiões do portão sul.

– Agora posso compreender por que o Índio continua sendo índio – diz Débora.

– É verdade! Olha esse lugar, olha essa vida. Se a melhor parte deles foi a parte de índio, por que desprezá-la? Por que não viverem eternamente auxiliando a todos aqui como guardiões dos portões do Umbral? – diz Nina.

– Compreendi agora perfeitamente o amor de Deus, Nina.

– Que bom, Débora! Que bom que você está compreendendo tudo – diz Nina. – Venha, vamos até a oca central.

– Sim, vamos.

Débora, feliz e encantada, se mistura às índias e sorri como nunca.

Mãe, voltei!

Feliz, ela até esquece o porquê de estar ali.

Alguns dias se passam. Débora toma banho de rio com Nina e as crianças. Diverte-se e se sente como uma índia feliz e radiante com as descobertas que faz.

Nina e Felipe estão conversando, quando são interrompidos pelo Índio.

– Com licença, Nina.

– Sim, amigo, o que houve?

– Precisamos partir. Daniel nos permitiu visitar outras colônias à procura do menino Allan. E já é hora de partirmos.

– Sim, vou avisar Débora – diz Nina. – Felipe, apronte tudo, vamos partir.

– Sim, Nina. Venha, Índio, vamos nos preparar.

Nina chega à beira do rio e vê Débora sentada, perdida em seus pensamentos, colocando pequenas folhas para boiar na fraca correnteza do pequeno riacho que corta a aldeia.

– Débora?

– Oi Nina, sente-se!

– Desculpe-me incomodá-la, mas precisamos partir – diz Nina sentando-se ao lado de Débora.

– Eu estava aqui pensando no meu filho. Sabe, Nina, estou mais tranquila agora. Agora começo a compreender muitas coisas dentro de mim. A saudade do Allan me dilacera o coração. Jurei que encontraria o meu filho onde ele estivesse. Fico feliz por não tê-lo encontrado no Umbral. Espero que ele esteja num lugar como este aqui. Um lugar lindo, com pessoas belas. Não quero ser um peso para vocês. Se nossa busca tiver que terminar, não se preocupe comigo. Aprendi a te respeitar e amar. Sabe, Nina, existem poucas pessoas como você, aliás, como vocês, espíritos amigos que estão aqui somente com a intenção de me ajudar. Eu estava me lembrando de quando o Allan nasceu: ele ali no meu colo tão dependente de mim, tão frágil. Seu cheiro, seu choro. Uma vida sobre a minha responsabilidade, tão dependente de mim. Não sei se fiz a coisa certa. Eu deveria, talvez, ter ficado no interior onde meus pais ainda vivem, lá a violência é menor. Talvez eu seja a maior culpada por tudo o que aconteceu com meu filho, Nina.

– Você acha mesmo que errou?

– Às vezes me sinto culpada.

– Guarde em seu coração esse ensinamento: não cai uma folha de uma árvore sem que Deus permita. Deus conhece Seus filhos como ninguém. Tudo o que plantamos, colhemos. Assim, não se culpe e não pense no que você poderia ter feito. Faça hoje o que você deseja que seja seu amanhã.

– Obrigada, Nina. Obrigada!

– Sei que é difícil. Ele sabe que é difícil, por isso tudo o que Ele criou está interligado e se ajuda mutuamente. O Universo inteiro está se ajudando. O mal só existe para que nós não nos esqueçamos de fazer o bem. Agora vamos, porque os meninos estão nos esperando.

— Para onde vamos agora?

— Débora, reviramos todo o Umbral e o Allan não veio para cá; agora vamos visitar algumas colônias espirituais. Vamos procurá-lo, e se Deus permitir, vamos encontrá-lo.

— Vamos, Nina. Vamos logo, estou morrendo de saudades de meu filho. Mas antes quero lhe contar um segredo.

— Conte.

— Nina, pode parecer bobagem o que vou dizer.

— Diga, Débora.

— Não sei se devo.

— Deixe de bobagens, estamos já há alguns dias juntas. Pode confiar em mim.

— Nina, parece bobagem, mas o Allan tem um cheiro que só ele tem. Sinto que ainda vou senti-lo pelo cheiro. Sinto a todo momento que o encontrarei. Sabe, parece estranho o que vou falar, mas fico tentando sentir o cheiro do meu filho. Filhos têm cheiro, Nina.

— Eu sei, eu também sinto saudades das crianças lá da minha colônia. Realmente crianças têm um cheiro muito próprio.

— Fico com a sensação de que vou sentir meu filho pelo nariz. Estranho isso, não é?

– Sim, isso é estranho.

– Parece coisa da minha cabeça, mas quando pego essas indiazinhas no colo fico a cheirá-las para ver se encontro o cheiro do meu bebê.

– Deus vai lhe permitir encontrar-se com o Allan. Agora vamos.

– Sim, Nina – diz Débora se levantando.

Assim, Nina, Débora, Felipe e o Índio deixam os portões do Umbral e se dirigem à colônia espiritual chamada Colônia da Regeneração.

Colônia da Regeneração

A Colônia da Regeneração trabalha na recuperação de espíritos que foram mutilados e sofreram algum tipo de acidente no qual perderam partes do corpo enquanto estavam encarnados. A mutilação física atinge o perispírito, que é o nosso corpo espiritual, aquele que levamos para o mundo espiritual para podermos ser reconhecidos por nossos familiares e amigos que foram antes de nós. Todos nós temos o poder de, fluidicamente, condensarmos esses fluidos e levar conosco essa forma física que muito nos será útil na erraticidade. Além de proceder com os atendimentos fluídicos concentrados, terapias. Tudo com o intuito de renovação do perispírito.

Nina, Felipe e Débora são recebidos por Marcondes, que é um dos espíritos responsáveis por Regeneração. É ele quem coordena e fiscaliza a chegada de novos pacientes que serão tratados nesta colônia.

Nina, Felipe e os demais chegam à colônia em um veículo que flutua e os leva até o portão de entrada principal da colônia. Débora está admirada com tanta tecnologia e beleza. Enquanto o veículo transita por uma estrada virtual ela admira a paisagem colorida e bela. É como estar andando de avião, mas está em um trem sem trilhos e rodas e extremamente silencioso. Todas as paredes do veículo são de vidro transparente, inclusive o teto, permitindo aos ocupantes admirar a beleza do lugar e a viagem.

— Nossa, Nina, que lugar lindo!

— Tudo por aqui é muito bonito, Débora. Vá se acostumando — diz Felipe, ao se aproximar.

— Eu nunca poderia imaginar que as coisas fossem assim.

— Quando estamos encarnados somos cobertos pelo véu da ignorância. Isso ocorre para que possamos buscar compreender nossas lutas diárias e superá-las de forma evolutiva.

— Interessante! — diz Débora.

— Suas lutas diárias são necessárias para que possas tornar-se um espírito melhor — diz Marcondes, abrindo os braços para abraçar Nina.

— Olá, meu nobre amigo! — diz Nina, retribuindo o abraço.

Felipe se aproxima e abraça Marcondes mesmo sem Nina ter se afastado.

— Abraços triplos são ótimos — diz o amigo, sorrindo.

— Venha, Débora, junte-se a nós neste caloroso abraço.

Acanhada e sem jeito, Débora se aproxima e é puxada por Felipe para o fraterno abraço feliz.

— Que bom tê-los aqui! — diz Marcondes.

– Viemos à procura de um menino, filho de Débora.

– Qual é nome dele, Felipe?

– Allan, senhor, Allan com dois eles – diz Débora, nervosa.

– Vamos até minha sala, que irei olhar no prontuário dos últimos que chegaram aqui – sugere Marcondes. – Ele desencarnou mutilado?

– Não – diz Nina.

– Mas é como se fosse, senhor. Ele levou um tiro na cabeça.

– Sim, tiros são mutilações que precisam ser tratadas – diz Marcondes, gentilmente.

– Venham, vamos até minha sala.

– Sim, vamos – diz Nina.

– E então, como estão as coisas em Amor e Caridade, Nina?

– Muito trabalho.

– E aqui em Regeneração, como estão as coisas? – pergunta Felipe.

– Muito trabalho, meu amigo; como sabes, o planeta está se transformando, e nós aqui trabalhando dobrado.

– Lá em Amor e Caridade não é diferente – diz o Índio.

– Pare de reclamar, amigo Índio – diz Marcondes.

– Não estou reclamando, é que estamos sobrecarregados mesmo.

– É verdade – diz Felipe.

Mãe, voltei!

— Mas todos nós fomos avisados pelo grande Arquiteto que este momento seria de muito trabalho, mas que depois colheríamos os louros de nossa vitória – diz Nina.

— Sim, colheremos com certeza. Nada aqui falha, tudo tem seu momento certo para acontecer – diz Felipe.

Após caminhar, o grupo adentra um enorme galpão, muito claro iluminado por luzes verdes e outras violetas.

— Venha, Nina, venham até minha sala, amigos – diz Marcondes permanecendo de pé e indicando uma porta branca de uns dois metros de largura por uns cinco de altura.

— Nossa, como é linda a sua sala, Marcondes! – diz Nina.

— Recebi a recompensa na reforma estrutural da colônia, e esta é minha nova sala.

— Parabéns! – diz Felipe.

— Obrigado, amigo. Mas venham, sentem-se.

A sala tem aproximadamente trinta metros quadrados. As paredes são pintadas de branco, combinando com os tapetes da mesma cor; e as poltronas são de cor lilás. A mesa onde Marcondes despacha tem aproximadamente cinco metros de comprimento por dois de largura. Há plantas com flores amarelas e roxas que perfumam o ambiente.

— Lindo esse lugar! – diz Débora.

— Gostou?

– Sim. É muito lindo.

– Sente-se aqui, por favor, Débora – diz Marcondes, indicando-lhe uma cadeira.

Todos se sentam. Marcondes, por meio de um aparelho colocado sobre sua mesa, chama seu auxiliar.

– Sebastian, você pode vir até a minha sala, por favor?

– Sim, já estou indo – responde a misteriosa voz.

Logo o dono da voz misteriosa adentra o ambiente, cumprimentando a todos. Alto, moreno de olhos azuis, muito bem vestido, Sebastian é gentil com todos.

– Boa tarde!

– Boa tarde – respondem Nina, Felipe e os demais.

– Sebastian, a senhora Débora foi trazida por Nina, porque ela está à procura de seu filho, Allan. Por acaso o filho dela está em nossa colônia? Deu entrada aqui algum menino que desencarnou, baleado na cabeça?

– Infelizmente não. Ele não está aqui, Marcondes.

Débora fica frustrada com a informação.

– Nina, como podes ver, o menino não está aqui, infelizmente.

Débora coloca as mãos sobre o rosto e começa a chorar. Nina se levanta e vai ao encontro dela.

Mãe, voltei!

— Não chore, Débora. O fato de Allan não estar aqui não modifica nada. Vamos continuar a procurá-lo em outras colônias – diz Nina, carinhosamente.

— Perdoem-me minha fraqueza – diz Débora em lágrimas.

— Nós compreendemos sua situação – diz Marcondes.

— Prometi a meu filho que o encontraria onde quer que ele estivesse. Tenho vergonha de incomodá-los com a minha dor.

— Não se sinta assim. Deixe-me lhe ensinar uma coisa – diz Marcondes levantando-se. – Nada acontece sem a permissão do Criador. Se Nina, Felipe e os demais estão envolvidos nessa missão é porque Ele permitiu. Tudo está alinhado por Sua vontade. Tenha calma, fé e esperança, logo acharás seu menino e tudo se esclarecerá.

— Obrigada, senhor – diz Débora.

— Obrigada, Marcondes – diz Nina.

— Obrigado por suas palavras, amigo – diz Felipe.

— Agora é melhor irmos embora, pois ainda temos muitas colônias para visitar e encontrar o menino – diz o Índio.

— Tens razão, Índio – diz Nina, se levantando.

Débora se levanta, e com as mãos enxuga as lágrimas que cobrem seu rosto e se apresenta disposta a seguir em frente.

Todos se levantam e se dirigem até a estação, acompanhados pelo amigo Marcondes, que gentilmente caminha ao lado deles. A estação está lotada de espíritos. Os veículos de transporte não param de chegar e sair trazendo e levando espíritos trabalhadores da linda colônia chamada Regeneração.

– Querido amigo, obrigado por sua ajuda – diz Nina.

– Estarei sempre aqui lhe esperando para mais visitas, Nina.

– Obrigado, Marcondes – diz Felipe.

– De nada, amigo.

– Obrigada, senhor – diz Débora.

– Espero que encontre logo seu menino.

– Eu vou encontrá-lo, como prometi.

– Para onde vocês vão agora, Nina?

– Vamos para a Colônia Amigos da Dor, quem sabe o Allan não esteja lá?

– Boa sorte, amigos!

Marcondes se despede acenando com as mãos, enquanto todos entram no veículo de transporte.

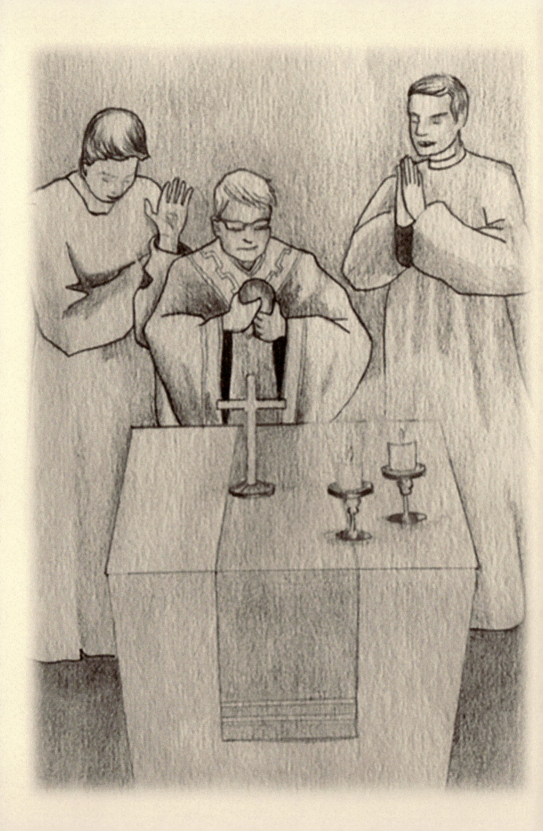

Colônia Amigos da Dor

— Falta muito para chegar a essa tal colônia? – pergunta Débora.

— Vamos visitar a Colônia Amigos da Dor. Esse é o nome dessa tal colônia.

— Desculpe-me, Nina.

— Por nada, Débora.

— Nina, será que lá eu consigo curar essa dor que rasga meu peito? Essa dor que está me destruindo?

— Não é bem esse o objetivo desta colônia, vamos lá procurar pelo Allan.

— Que tipo de colônia é essa?

— Essa é uma das mais antigas colônias sobre o orbe terreno. Eles socorrem pessoas em igrejas, asilos, orfanatos e muitos lugares ligados à Igreja.

— Quase nem agradeci ao Marcondes a gentileza de me receber com tanto amor e carinho – diz Débora.

Mãe, voltei!

– Muito gentil o Marcondes – diz Felipe.

– Sim, ele é um anjo – diz Nina.

– Como assim, anjo? – pergunta Débora, assustada.

– Anjo no sentido de bondade, Débora – diz Felipe.

– Ah, sim, perdoem-me! Pensei que ele era um anjo com asas.

Todos riem.

– Venham – diz Nina.

Todos se acomodam e o veículo de transporte começa a se locomover em direção à colônia solicitada.

– Nina, será que meu filho está nessa colônia?

– Não sei. Sinceramente acho que não, mas temos que ir até lá, preciso ver uma velha amiga. Acho que ela pode nos dar uma dica de onde o Allan possa estar.

– Por quê? – pergunta Débora.

– Como sabes, é na idade madura que passamos a compreender melhor as coisas da vida. Essa colônia, além de tantos outros atendimentos, também é especializada em atender aos idosos. Acredito que lá teremos informações valiosas sobre o paradeiro de Allan.

– Explique melhor a ela, Nina, como trabalha a Colônia Amigos da Dor, onde fica etc. – sugere Felipe.

– A Colônia Amigos da Dor encontra-se no norte de Minas Gerais e extremo sul da Bahia. Sua especialidade é realizar o socorro a recém-desencarnados. Os espíritos servidores dessa colônia prestam atendimento e amparo em igrejas, santas casas de misericórdia, orfanatos, centros de atendimento ao idoso, asilos e centros geriátricos, além de orfanatos. É uma das mais antigas colônias em terras brasileiras – diz Nina, pacientemente.

A viagem é divertida e bela.

Após algum tempo eles finalmente chegam à colônia e são recebidos por Lucília, sua dirigente e responsável.

– Nossa, a cada colônia que visito fico mais admirada com a beleza! – diz Débora, encantada com o lugar.

– Lembra-se de que lhe falei para preparar-se para ver coisas inimagináveis?

– Sim, me lembro, Nina. Eu só não imaginava que era tão lindo assim.

De pé na estação uma linda senhora de cabelos brancos, vestindo uma túnica branca com detalhes em azul-claro e dourado espera pelos viajantes com as mãos unidas sobre o peito num sinal de alegria e fé.

– Olhem, Lucília nos espera! – diz Nina, feliz.

Nina desce correndo do veículo e corre para abraçar a amiga anciã que a espera.

Mãe, voltei!

Lucília é uma senhora de uns sessenta e cinco anos aproximadamente. Cabelos brancos, um lindo sorriso e muito meiga e carinhosa com todos.

– Oi, minha menina! – diz a carinhosa amiga.

– Nossa, quanta saudade de você, Lucília! – diz Nina abraçando fortemente a amiga.

– Eu também, meu doce! Como estão as coisas em Amor e Caridade?

– Tudo bem. Eu vim até aqui para lhe apresentar uma amiga que precisa de seus conselhos.

– É aquela menina ali?

– Sim. Venha até aqui, Débora, por favor!

Débora se aproxima de Lucília, que carinhosamente a envolve em um caloroso abraço.

– Estás à procura de seu filho?

– Sim, minha senhora. Como a senhora sabe meu nome e sobre a procura do meu filho?

– Daniel me falou – diz Lucília.

Débora olha assustada para Nina que, com um gesto de mão, manda que siga os conselhos de Lucília.

– Vamos caminhar, minha menina? Quero lhe mostrar nossa colônia. Pode ser?

— Sim, se a senhora não se importa... – diz Débora.

— Nina, vou caminhar e conversar com a Débora. Mas antes, venha até aqui, Felipe, quero lhe abraçar.

— Claro, Lucília! – diz Felipe, se aproximando.

— Lindo esse rapaz – diz a amiga.

— É verdade – diz Nina, orgulhosa.

— Estou muito feliz em tê-los aqui.

— Nós é que agradecemos essa oportunidade – diz Felipe.

Após abraçar Felipe, Lucília pega gentilmente no braço de Débora e a convida a caminhar. O Índio assiste a tudo de longe.

— Crianças, me esperem na enfermaria número dois. Volto logo – diz Lucília, se afastando.

— Sim, vamos para lá – diz Nina.

Após alguns metros caminhando, Lucília puxa assunto com Débora.

— Há quanto tempo seu filho desencarnou?

— Acho que há três dias, senhora.

— Tire-o "senhora", por favor.

— Perdoe-me – diz Débora.

— E ele morreu de quê?

Mãe, voltei!

– Uma bala perdida.

– Não existem balas perdidas. Existem balas à procura do alvo.

– Como assim?

– Nada acontece sem a permissão de Deus. Já lhe explicaram isso?

– Sim, Nina já me falou sobre isso.

– Então a bala, supostamente perdida, estava à procura de seu filho.

– É muito difícil para mim acreditar nisso.

– Eu compreendo, quando cheguei aqui demorei também a compreender as coisas dEle.

– Não consigo aceitar a morte do meu filho. Acho que Deus não foi justo comigo. Ele era um menino tão bom, estudioso, meigo, chegou até a fazer um poema para mim.

Débora começa a chorar.

– Não chore, menina. Me fale mais de seu filho.

– Ele nasceu de um romance que tive com um rapaz, meio sem querer, mas eu o assumi e criava-o com todo o amor que tenho dentro de mim. Ele é meu melhor amigo, meu companheiro, parceiro; enfim, tudo o que Deus tinha de bom para colocar em alguém, Ele colocou em Allan.

– E você acha mesmo que esse Deus que lhe brindou com um menino de ouro seria capaz de matá-lo?

– Eu já compreendi que ele não morreu. Eu só quero achá-lo e poder abraçá-lo novamente. Dizer a ele que não tive culpa e que eu o amo muito, muito mesmo. Sabe, minha vida não tem sentido sem ele.

– As almas combinam a viver experiências evolutivas. Eu mesma fui mãe de três meninos e duas meninas.

– Nossa, sério?

– Sim, meus cinco filhos hoje são meus auxiliares aqui na colônia.

– Então é isso que quero. Eu quero encontrar o Allan e ficar ao lado dele para sempre. A senhora entende?

– Sim, entendo, mas o tempo de Deus é um pouquinho diferente do nosso tempo.

– Eu não consigo acalmar meu coração. Peço até perdão a Deus por ser assim. Mas não dá, eu preciso do meu filho.

– Olhe para aquelas árvores ali – diz Lucília.

– Sim, são lindas.

– Está vendo?

– Sim, estou vendo aquelas árvores altas e outras pequenas ao lado.

– As árvores altas são as árvores adultas; as pequenas, ao lado, são filhas das maiores.

– Sim, estou compreendendo.

Mãe, voltei!

— Observe que as árvores adultas, antes de serem adultas, foram árvores pequenas, foram filhas.

— Sim, nascer, morrer e seguir, é isso?

— Sim, querida, ainda bem que você percebeu logo no início. Nascer, morrer, renascer e progredir sempre, essa é a lei.

— Quer dizer que todos nós vamos renascer ao lado de nossos queridos?

— Exatamente como as árvores. Nascemos sempre próximos dos nossos queridos para poder nos auxiliar mutuamente em nossa evolução.

— Quer dizer que o Allan pode nascer de meu ventre de novo?

— Sim, é isso. Se for de seu merecimento, ele volta aos seus braços.

— Mas como, se nem marido eu tenho? Eu não me casei.

— Ele providencia tudo. Não se desespere. Se você não encontrar com seu filho aqui no mundo espiritual, ele vai achar você.

— Lucília, o Allan está aqui?

— Não, ele não está em nossa colônia. Não desanime, continue a procurá-lo. Eu vou orar a Deus para que vocês se encontrem.

— Você vai fazer isso por mim?

— Sim, afinal você é amiga da Nina e eu a amo muito.

— Obrigada então por seus conselhos e suas palavras. Estou a cada dia mais calma.

– Agora vamos nos encontrar com Nina e Felipe para vocês seguirem em sua busca. Não se esqueça das minhas palavras.

– Quais são as palavras que eu devo guardar?

– Se você não encontrar seu filho, ele certamente encontrará você.

– Deus seja louvado e ouça suas palavras! – diz Débora abraçando Lucília.

– Olhe, lá estão eles, venha – diz Lucília dirigindo-se à enfermaria.

Há várias enfermarias em Amigos da Dor. Milhares de espíritos trabalham auxiliando os desencarnados. Todos têm um sorriso no rosto. Todos são felizes na Colônia Amigos da Dor.

Após se despedirem carinhosamente de Lucília, Nina, Felipe, Débora e o Índio deixam o lugar, levados pelo veículo de transporte.

Nina senta-se ao lado de Débora e puxa conversa.

– O que Lucília lhe disse, Débora?

– Disse-me lindas palavras. Ela é um anjo, não é, Nina?

– É como se fosse. Na verdade, as colônias são dirigidas por espíritos que já alcançaram um estágio muito alto na escala evolutiva.

– Existe uma escala evolutiva?

– Não é bem uma regra nem uma escala.

– Como é, então?

Mãe, voltei!

– Nós, espíritos, estamos predestinados a evoluir. Por meio das encarnações sucessivas, vamos nos melhorando e atingindo assim patamares evolutivos que ainda não compreendemos. Quando atingimos determinados valores espirituais somos convidados a cuidar dos espíritos que estão nesta busca evolutiva, entende?

– Sim, entendo. É como se fosse uma escola, à medida que aprendemos podemos ensinar.

– Muito bem, Débora, é isso – diz Nina, sorrindo.

– Olha gente, que lindo! – diz Débora olhando para fora.

Uma chuva de asteroides cobre todo o céu lindo e azul onde o veículo transita.

– Sim, Ele é perfeito – diz Nina.

– O que é isso, Nina? – pergunta Débora, deslumbrada com a imagem.

– Chuva de estrelas.

– Nossa, como é lindo!

– Na verdade, são milhares de meteoros que surgiram após uma explosão. E ficam vagando pelo espaço como chuva de luz. Pequenos e grandes pedaços clareiam o céu escuro dos planetas distantes.

– Gente, mas são milhares! – diz Débora.

– Milhares não, Débora, milhões! – corrige Felipe.

– Nina, para onde estamos indo agora?

– Estamos indo para a Colônia Redenção.

– Será que, finalmente, acharemos o Allan?

– Não sei, mas vamos tentar – diz Nina.

OSMAR BARBOSA

Colônia Redenção

– Olhe, Débora, essa é a nossa próxima parada.

– Que lugar lindo!

– Essa é a Colônia Redenção – diz Felipe.

– E para que ela serve? Qual é o trabalho feito aqui?

– Explica para ela, Nina, por favor – pede Felipe.

– O melhor disso tudo é que você já compreendeu que cada colônia tem uma finalidade, um objetivo. Que bom, Débora! Fico muito feliz.

– Isso eu já pude observar, Nina, agora começo a compreender algumas coisas de Deus. Agora compreendo que nada se perde, tudo está interligado. Quando deixamos a vida corpórea podemos, sim, ser úteis às coisas de Deus. Embora não esteja me sentindo morta, não sei bem explicar o que está acontecendo comigo.

Nina e Felipe se entreolham. E Felipe diz:

– Que bom, não é, Nina?

– Sim, que bom, Débora! – diz Nina aproximando-se de Débora. – Mas deixe-me lhe explicar um pouco sobre essa colônia. Débora, essa colônia realiza um grande trabalho em laboratório fluídico por intermédio de seus socorristas na Terra. Aqui, se trabalham as formas fluídicas que são utilizadas sobre o orbe terreno. Essa colônia é uma grande referência no mundo espiritual. Foi aqui que quase tudo começou, há arquivos das mais lindas histórias e exemplos de amor que o mundo espiritual já viu, começando pela história de Jesus em cenas vivas. Tudo na Criação parte do princípio fluídico. Tudo na Criação passa por aqui.

– Quer dizer que a primeira coisa a ser criada foram os fluidos?

– Exatamente, Débora, exatamente. Tudo começou com a criação dos fluidos que ao se condensarem e se misturarem criaram formas animando todas as coisas que existem; assim, tudo o que você vê, toca ou sente e percebe, partiu do princípio fluídico criado por Deus.

– Nossa, que coisa interessante! – diz Débora.

– Apesar de viver em uma comunidade humilde e ser uma pessoa humilde, você consegue compreender tudo o que está vendo e sentindo aqui, não é, Débora? – diz Felipe.

– Não tinha me atentado para isso – diz Débora, surpresa.

– Quando estamos na condição espiritual, que é seu caso agora, juntamos tudo o que já aprendemos nas existências anteriores. E assim conseguimos viver melhor aqui no mundo espiritual. Somos a soma de tudo aquilo que já experimentamos.

– Mas eu não me lembro de nenhuma vida anterior.

— Você ainda não se lembra. E isso é porque ainda não chegou a hora certa de lembrar-se. Quando for o momento oportuno, recordará de todas as suas vidas anteriores, ou melhor dizendo: você vai se recordar de todas as coisas que lhe ajudaram a chegar ao estado em que se encontra agora.

— Não sei se quero me lembrar de minhas vidas passadas, Nina.

— Por quê?

— Na verdade, tenho medo de me lembrar de coisas horríveis pelas quais eu possa ter passado ou até mesmo que eu tenha praticado para chegar até aqui.

— As coisas terríveis não nos são úteis. E delas não nos recordaremos.

— Como assim, Nina?

— Só trazemos para a existência atual as boas lembranças. Coisas que nos foram úteis para nossa evolução. Existem experiências que são desnecessárias, e estas são esquecidas.

— Quer dizer que o Allan não vai se lembrar que foi assassinado?

— Se isso lhe for útil ele recordará, mas se nada acrescentar à sua evolução ele não se lembrará.

— Quer dizer que se alguém me matou ou me feriu gravemente me levando à morte eu não vou me lembrar?

— Primeiramente, a morte não existe. Segundo, se alguém lhe fez algum mal é porque lhe foi permitido fazer-lhe o mal. Às vezes, o que achamos que é mal, na verdade, é um ajuste de nossa existência anterior. Um acerto de contas, se assim podemos dizer...

– Justiça divina...

– Boa, Felipe. Justiça divina – diz Nina.

– Estou começando a me animar com a morte – diz Débora.

Todos riem.

– Do que é que vocês estão rindo?

– Você é engraçada, Débora – diz o Índio.

– Mas estou falando sério. Agora, por exemplo, me sinto mais viva do que nunca. Sinto minhas pernas, meus braços, minha língua, minha cabeça, enfim, sinto meu corpo todo. Como se eu estivesse viva. Logo, o que achava que era morte não existe. Então, por que me preocupar tanto com a vida?

– É por meio da vida que você alcança lugares melhores aqui, Débora. É somente vivendo encarnados que adquirimos créditos para desfrutarmos de uma existência plena. A encarnação é, na verdade, a grande escola que aperfeiçoa o espírito.

– Ah, então é por isso que o Umbral está cheio de gente sofrendo.

– Isso, menina! O Umbral é o lugar onde ninguém quer viver. Lá, ficam todos aqueles que pecaram contra a própria vida. Ou que se utilizaram da oportunidade da encarnação para produzirem o mal. É um filtro depurador.

– Assim como eu.

– Mais ou menos – diz Nina.

– Mas eu tomei remédios para morrer. E morri; ou será que não morri?

– Depois lhe explico essa parte – diz Nina, colocando o braço sobre o ombro de Débora, convidando-a a sair do veículo.

– Venha, Débora, vamos procurar pelo Douglas.

– Quem é esse Douglas?

– É o meu amigo dessa colônia. É ele que nos espera – diz Felipe.

– Nossa, quero ser como vocês! – diz Débora, feliz.

– Por que, Débora?

– Vocês têm amigos em todos os lugares.

(Risos)

– Vou lhe ensinar outra coisa, Débora.

– Diga, Nina.

– Nós, filhos do Criador, temos uma existência infinita pela frente. Aqui não contamos anos e tampouco fazemos aniversário. Tempos? Não contamos, somos eternos. Por isso temos tantos amigos espalhados pelos quatro cantos deste planeta.

Mãe, voltei!

– Nossa, não vejo a hora de contar tudo isso para o Allan.

– Se tudo der certo, em breve você poderá contar tudo isso ao seu filho.

– Sabe, Nina, estou muito mais calma. Agora posso compreender que existe um Deus que tem muito amor para me dar. Começo a me achar egoísta.

– Por quê?

– Por que querer o Allan só para mim? Por que não reparti-lo com Deus?

– Você já repartiu seu filho com Deus quando gerou-o em seu ventre e o amou, acima de tudo.

– Você acha?

– Sim, Deus é amor. E é pelo amor que nos aproximamos dEle. É pelo amor que você sente pelo seu filho que estamos aqui. E se Ele assim permitir, em breve nós o encontraremos e terminaremos essa missão.

– Não sei por que vocês apareceram na minha vida, mas quero lhes agradecer por tudo – diz Débora abraçando Nina.

– Nós é que agradecemos essa oportunidade evolutiva – diz o Índio.

– Venha, Felipe, vamos procurar pelo Douglas.

– Sim, vamos.

Nina, Felipe, Débora e o Índio seguem caminhando pelo lindo

campo florido em direção ao edifício central onde ficam as enfermarias, os laboratórios e a administração da colônia.

Após a reunião com Douglas e demais dirigentes, desapontados, eles voltam ao veículo de transporte e decidem se dirigir para a Colônia Espiritual Amor e Caridade.

Colônia Espiritual Amor e Caridade

Débora está sentada à janela do veículo, e seus pensamentos se perdem na beleza do lugar. Cores, aves, nuvens com tons lilás e violeta cercam toda a Colônia Amor e Caridade. Seu peito se enche de esperança quando se aproximam do lugar e ela pode ver centenas de crianças brincando nos parques espalhados pela colônia.

Uma empolgação invade seu coração e a certeza de que seu sofrimento está chegando ao fim.

– Nina, essa é sua colônia?

– Sim, Débora, essa é a Colônia Amor e Caridade.

– Ela é linda como todas as outras. Mas tem algo de diferente.

– Sim, aqui temos muitas crianças.

– Exatamente isso que pude observar. Muitas crianças! Por que somente aqui eu vi crianças?

– É nossa especialidade. Aqui em Amor e Caridade recebemos as crianças vítimas de câncer que desencarnam nos hospitais do Brasil.

– Nossa! Que legal!

Mãe, voltei!

– Sim, a Colônia Amor e Caridade é muito legal!

– Nina, por acaso vocês não recebem baleados?

(Risos)

– Débora, só mesmo você para fazer piada com a sua dor – diz Nina, sorrindo.

– Estou brincando, me sinto bem aqui. Sei lá, sinto uma paz enorme invadindo meu peito.

– Vou levar você a uma de nossas enfermarias para ver as crianças, depois você pode descansar um pouco.

– É, Nina, acho que é disso que estou precisando: descansar...

– Já estamos nos aproximando da estação de desembarque. Felipe, você pode levar Débora para uma de nossas enfermarias para ela descansar?

– Claro que sim, Nina.

– Você não vai ficar comigo, Nina?

– Não, Débora, vou procurar por nosso dirigente para saber notícias de Allan e logo depois vou à enfermaria falar com você. Assim que terminar meu assunto com ele, procuro por você, pode deixar.

– Estou sonolenta mesmo, embora curiosa. Será que o Allan está aqui?!

– Não, aqui tenho certeza que ele não está. Se tivesse vindo para cá, não teríamos tido todo esse trabalho de procurá-lo pelas colônias que já visitamos. Mas tenho esperanças de que Daniel saiba alguma coisa.

– Quem é esse Daniel?

– É o presidente de nossa colônia.

– Ah, desculpe, você já havia me falado.

– Sem problemas.

– Nina, posso lhe pedir uma coisa?

– Sim, Débora.

– Posso descansar primeiro e depois ver as crianças? É que estou muito cansada, me sinto sonolenta.

– Vá com o Felipe e descanse. Depois eu mesma levo você para ver as crianças.

– Obrigada, Nina.

O veículo estaciona na estação.

– Agora vá com o Felipe e descanse. Índio, obrigada mais uma vez – diz Nina, afastando-se do grupo.

– De nada, Nina, quando precisar é só chamar – diz o Índio.

– Ei, você não vai se despedir de mim? – diz Débora.

– Ainda não, senhora. Nos veremos em breve.

– *Tá* bem, Nina. Mesmo assim, obrigada por tudo, amigo Índio.

– De nada, senhora – diz o Índio se afastando do grupo.

Felipe leva Débora para repousar em um dos leitos da enferma-

Mãe, voltei!

ria número três, enquanto Nina se dirige apressadamente ao gabinete de Daniel.

Após caminhar alguns minutos, Nina chega ao prédio onde Daniel despacha durante todo o tempo. Ela é recebida pelo assessor de Daniel e seu melhor amigo, o Marques.

– Oi, Marques!

– Oi, Nina! Tudo bem? Que saudades!

– Sim. O Daniel está aí? Ah, perdoe-me, Marques, mas eu também estava com saudades de você.

– Sim, ele está. Você quer falar com ele?

– Gostaria, se for possível.

– Venha, eu a acompanho até seu gabinete.

Nina e Marques se dirigem à sala de Daniel. Delicadamente Marques bate à porta pedindo permissão para entrar.

– Entrem Marques e Nina!

Nina entra na frente e logo se dirige para falar com Daniel.

– Boa tarde, Daniel!

– Olá, Nina, sente-se, por favor!

Nina senta-se em uma confortável cadeira branca colocada à frente do respeitado mentor.

– Como foi sua experiência nas colônias visitadas?

– Muito gratificante, Daniel. Como sempre, somos bem recebidos nas colônias irmãs aqui do Brasil.

– Somos sempre bem recebidos em todas as colônias do orbe, Nina – afirma o sábio Daniel.

– É muito bom experimentar tudo isso – afirma a jovem.

– O que lhe traz aqui?

– Eu, Felipe e o Índio levamos Débora para algumas colônias para ver se encontramos seu filho, o Allan, mas confesso que não sei onde o menino está. Gostaria muito que você me ajudasse a encontrá-lo.

– Vou pedir ao Marques que faça uma busca em todas as colônias possíveis. Tenho certeza que isso vai lhe ajudar. Agora vá descansar um pouco. Assim que tiver alguma notícia, eu lhe chamo.

– Nossa, obrigada, Daniel!

– De nada, Nina. Agora vá. As crianças estão saudosas.

– Obrigada, querido mentor – diz Nina levantando-se e saindo da sala.

Daniel volta a seus afazeres enquanto Débora dorme se recuperando. Nina e Felipe voltam às suas rotinas diárias em Amor e Caridade.

Após dois dias Daniel chama Nina e Felipe para uma conversa sobre o paradeiro de Allan.

Apressadamente Nina chega ao gabinete do mentor.

Mãe, voltei!

– Oi, Daniel, você mandou me chamar?

– Sim, Nina. Como está Felipe? – diz Daniel de pé.

– Bem, Daniel, muito bem!

– Sente-se – convida Daniel, indicando duas cadeiras colocadas à frente de sua mesa.

Todos se sentam.

– Nina, o Marques fez a busca solicitada para descobrir o paradeiro do menino Allan. Não obtivemos respostas satisfatórias até o momento.

– Meu Deus! Como assim, ainda não o encontraram? – diz Nina.

– Existem mistérios que até mesmo os espíritos mais evoluídos ainda não sabem responder, Nina – diz Daniel.

– Perdão, Daniel.

– Não há o que perdoar.

– Mas Daniel, que mistério é esse? – pergunta Felipe.

– Não existe mistério algum, Felipe. Simplesmente ainda não tenho a resposta apropriada para vocês, é só isso – diz Daniel.

– Perdoe-me, Daniel – diz Felipe.

– Olha, tenho uma nova missão para vocês.

– Diga, Daniel – responde Felipe.

– Como pudemos acompanhar até agora, o corpo de Débora está sendo mantido por aparelhos lá no hospital. Ela ainda não está morta.

Seu espírito está tendo essa oportunidade evolutiva a nosso lado. Laços fluídicos ainda a mantêm ligada a seu corpo, por esse motivo ela se sente tão cansada e precisa de descanso para se refazer. O pessoal da enfermaria número três está fazendo sua parte.

– Sim – diz Nina.

– E como todos nós sabemos, enquanto o corpo se mantém vivo o espírito se mantém ligado a ele por pequenos laços fluídicos. Mas é chegado o momento de interferirmos para que esses laços não se percam, pois para tudo existe um tempo hábil.

– Sim, Daniel, sabemos disso. Ela não pode ficar tanto tempo afastada de seu corpo.

– Pois bem, Nina e Felipe, prestem muita atenção, por favor: Débora está pagando um preço muito alto por ter tentado contra a sua própria vida. Nós sabemos que quando o espírito tenta tirar sua vida ele tem que ajustar-se e arcar com as consequências de seu ato. Somos nós os responsáveis por todas as nossas atitudes, atos e por nossos pensamentos. Débora é um ser muito especial para nós aqui da colônia. Embora vocês ainda não saibam, ela está em missão com o espírito do menino Allan; portanto, eles precisam cumprir o que está determinado, o que eles mesmos combinaram. Vocês receberão as instruções que lhes serão passadas pelo Marques de como deverão proceder daqui por diante.

– Faremos o que for necessário para ajudar Débora e o Allan – diz Nina.

Mãe, voltei!

– Tenho certeza disso, Nina. Agora vocês precisarão voltar até o hospital onde Débora está internada e aplicar-lhe passes fluídicos. Eu mesmo vou até a enfermaria prepará-la para a sua volta ao corpo físico. Intua os médicos a reduzirem a medicação forçando a volta de Débora. Ela tem que sair do coma.

– Então ela não vai desencarnar?

– Não, Nina, Débora vai sair do coma e terá uma nova oportunidade. Tudo o que ela viveu nesses dias com vocês, todas as experiências, já estão introduzidas no seu subconsciente e ela vai se lembrar de algumas coisas, como se fosse um sonho; isso lhe fará modificações que lhe serão muito úteis. Espero que ela viva uma vida de bondade e amor, sem a companhia do menino Allan.

– O tempo que ela ficou em coma lhe trará algum problema físico, Daniel?

– Nada relevante. Ela será assistida e ajudada.

– Está bem, Daniel; são essas as recomendações?

– Sim, Felipe.

– Estamos aqui para auxiliar – diz Nina.

– Obrigado.

– Daniel, me perdoe, mas só para que eu me tranquilize, em quantas colônias o Marques procurou pelo Allan?

– Em todas onde ele pudesse estar, Nina.

– Você pode nos dar os nomes, Daniel? Claro, se você não se incomodar.

– Sim, Felipe, claro que sim. Anota aí! Colônia Arco-Íris; Colônia Raios do Amanhecer; Colônia Bom Retiro; Colônia Padre Chico; Colônia da Praia; Colônia Nova Esperança; Colônia das Águas; Colônia Morada do Sol; Colônia das Flores, nossa coirmã; Colônia Gramado, e seus núcleos de atendimento socorristas, entre eles as colônias "Das Orquídeas"; "Girassóis"; "Do Guaíba" e "Estrela D'alva"; Colônia das Rosas; Colônia Estudo e Vida; Colônia das Violetas; Colônia do Sol Nascente; Colônia do Abacateiro; Colônia do Rouxinol; e Colônia do Moscoso. Além dessas, é claro, ele pediu informações a outras colônias. Ele visitou a Colônia Socorrista Moradia; Colônia Campo da Paz; Casa Transitória de Fabiano; Colônia da Música; Colônia Espiritual de Eurípedes Barsanulfo; Colônia Alvorada Nova; Colônia Casa do Escritor; Colônia Triângulo Rosa e Cruz; Sanatório Esperança Moradias; Colônia Porto da Paz; Instituto de Confraternização Espírito Meimei; Colônia A Cruzada; Colônia Gordemônio; Colônia da Redenção; Colônia Amor e Luz e algumas outras que vocês ainda não tiveram a oportunidade de conhecer. Sem falar daquelas que vocês visitaram.

– Caramba, ele trabalhou bastante, não é?

– Marques tem seus auxiliares, assim como vocês; e além de tudo as colônias estão interligadas assim como as cidades do mundo material – diz Daniel.

Mãe, voltei!

– Daniel, posso lhe fazer outra pergunta?

– Sim, Nina, claro que sim!

– O fato de termos feito toda essa viagem com Débora à procura de seu filho durante seu estado de coma é algo que eu ainda não havia experimentado. Qual o objetivo disso?

– Débora, como todos sabem, passa por uma prova muito difícil; se nós não tivéssemos feito tudo isso que fizemos não teríamos introduzido essa experiência no seu subconsciente, provavelmente ela tentaria novamente o suicídio. A misericórdia divina nos permitiu auxiliá-la neste momento tão complicado de sua encarnação atual.

– Quer dizer que quando encarnados, as experiências vividas fora do corpo, nos sonhos, nas visões etc., têm relevância na existência atual?

– Já não dissemos que nós, os espíritos, influenciamos muito os encarnados mesmo sem que eles percebam?

– Sim, sabemos disso – diz Felipe.

– Pois bem, podemos influenciar muito mais do que eles podem perceber ou imaginar.

– Ainda bem que nós só utilizamos a influência para enriquecer os espíritos em sofrimento – diz Nina.

– Sim, minha querida, nós, de Amor e Caridade, além de ajudarmos aqueles que chegam aqui em dor, auxiliamos aos encarnados em pensamentos. Somos responsáveis por tudo aquilo que semeamos, inclusive os pensamentos. Muitas vezes a influência muda destinos.

– Glória a Deus! – diz Nina.

– Sim, graças ao Senhor que permite que auxiliemos a todos os necessitados – diz Felipe.

– Obrigada pela paciência, Daniel.

– De nada, Nina. Agora se preparem e sigam as recomendações que lhes dei.

– Daniel, posso lhe pedir outra coisa?

– Sim, Nina.

– Você pode fazer uma prece para a Débora? Mas antes, tem uma coisa que muito despertou minha curiosidade.

– O que foi, Nina?

– Aquele encontro do Allan com seu pai no passeio da escola... Qual foi o motivo daquele encontro?

– Quem pediu socorro para João Carlos? Quem foi que saiu correndo para chamar a ambulância?

– O menino, ora! – diz Felipe.

– Ajustes, Felipe, ajustes – diz Daniel.

– Mas que tipo de ajuste, Daniel?

– Por vezes precisamos ajustar pequenas diferenças que foram deixadas para trás na existência anterior. O menino Allan simplesmente retribuiu o gesto de amor e bondade que João Carlos lhe fez ao dar-lhe aquela existência, afinal foi ele quem forneceu os elementos que proporcionaram a vida de Allan. Se João não tivesse tido um romance com Débora, Allan não existiria.

– Quer dizer que foi um ajuste de contas?

– Sim, Nina, um simples gesto de amor e caridade que salvou a vida de João.

– Vai entender! – diz Felipe.

– Felipe, há muitos mistérios que nós ainda não entendemos – diz Daniel.

– Do alto de sua luz ainda existem coisas que você não sabe, Daniel?

– Muitas coisas, Nina. Pois acima de mim existem espíritos ainda mais iluminados.

– Isso só nos mostra o quanto ainda temos que trabalhar, não é, Nina?

– Sim, Felipe, ainda temos um longo caminho pela frente.

– Não desanimem. Existem milhões de espíritos em condição muito inferior à de vocês.

– Ah, isso é verdade – diz Felipe.

– Daniel, você pode fazer a oração que lhe pedi? – diz Nina.

– Claro que sim, vamos orar...

Nina, Felipe e Daniel ficam de pé e se dão as mãos.

Daniel fecha os olhos e começa a proferir uma linda prece:

Deus de amor e bondade, dai-nos a permissão de auxiliar nossa querida irmã Débora que precisa de paz, luz e sabedoria para regressar à sua vida diária. Permita-nos, Senhor, alegrar-lhe os dias, dar-lhe a esperança de encontrar-se com seu filho Allan, e, acima de tudo, encha-lhe o coração de esperança e felicidade.

Que Sua bondade se estenda sobre os familiares e que o amor divino seja o condutor da existência corpórea.

Graças te damos, oh Senhor de Luz.

Amém.

Todos se entreolham, se abraçam em luz e agradecem a Daniel a linda prece.

– Agora, meninos, voltem ao trabalho – diz Daniel.

– Sim, Daniel – diz Felipe.

Nina agradece e ambos saem, dirigindo-se rumo ao hospital.

Daniel vai à enfermaria onde está Débora.

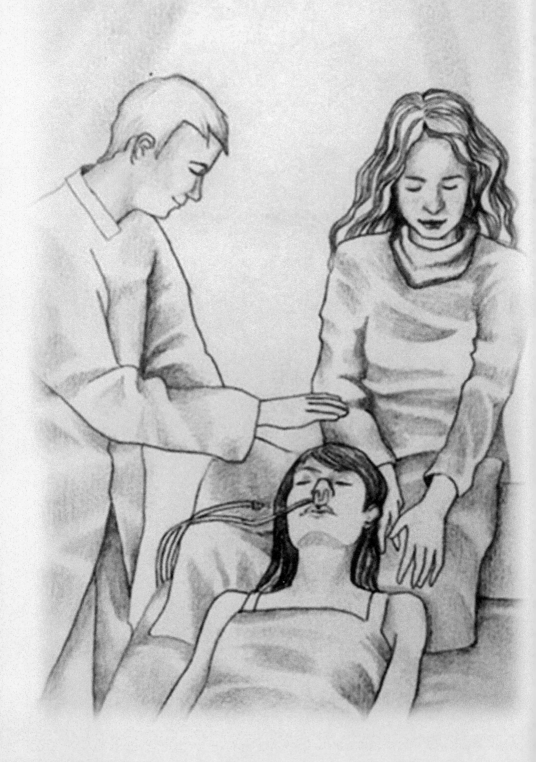

Começar de novo

Nina e Felipe chegam ao hospital e vão direto para o leito onde Débora está. É uma pequena sala onde só há três leitos. Débora está deitada e inconsciente em um deles. Logo Nina se aproxima e estende as mãos sobre o corpo fraco e debilitado da pobre jovem.

Felipe se coloca ao lado de Nina e a auxilia na energização.

Débora, que está na colônia, dorme em sono profundo quando Daniel estende suas mãos sobre ela. Ela está ligada ao seu corpo físico por pequenos laços fluídicos que a mantêm viva naquele hospital.

– Tudo há de se cumprir – diz Daniel falando baixinho nos ouvidos de Débora.

No hospital, o doutor Leônidas se aproxima do leito para examinar Débora, acompanhado da enfermeira Josi.

– Então doutor, essa aí vai conseguir sobreviver?

– Acho que o pior já passou, seu quadro clínico está melhorando a cada dia, vamos reduzir a medicação e esperar o resultado.

– Sim, senhor – diz Josi.

Mãe, voltei!

– Ministre este medicamento – diz o médico, escrevendo no prontuário de Débora.

– Sim, senhor, pode deixar, doutor.

– Amanhã eu volto para ver o resultado. Se Deus permitir, ela vai estar melhor – diz o médico.

– Sim, senhor – diz Josi, cobrindo o corpo de Débora com um lençol.

Nina olha para Felipe e diz:

– Felipe, vamos aumentar a dose fluídica sobre Débora para que o medicamento faça efeito mais rápido.

– Podemos fazer isso?

– Sim, Daniel me permitiu.

– Sim, Nina, então vamos fazer isso.

Assim Nina e Felipe intensificam os passes fluídicos e Débora começa a melhorar ainda mais rápido.

Após seis dias, Débora acorda do coma. Fraca e confusa, ela acorda em um momento em que não há ninguém no CTI. Seus pensamentos estão confusos. Ela relembra a viagem com os espíritos. Lembra-se das paisagens lindas, dos campos verdes, das nuvens de cor lilás. Seu pensamento está confuso. Ela adormece novamente.

Às seis da manhã, em nova visita, o doutor Leônidas constata a melhora da paciente e tenta acordá-la.

– Débora, Débora! – diz baixinho o médico.

Débora resmunga.

Pedro, o enfermeiro do plantão, se aproxima de Débora e a chama.

– Débora!

Abrindo os olhos, Débora responde.

– Sim.

– Bom dia!

– Bom dia, quem é você?

– Meu nome é Pedro, sou seu enfermeiro hoje; e esse é seu médico, o doutor Leônidas.

Débora vira o rosto e vê o médico ao seu lado.

– Sinto-me fraca, doutor – diz Débora olhando para o médico.

– Isso é normal. Vou lhe passar uma medicação e logo, logo você vai melhorar. Hoje vou pedir ao Pedro que traga uma sopinha para você começar a comer, e assim que conseguir se alimentar vai se sentir bem melhor.

– Quero lhe pedir desculpas, doutor, por dar tanto trabalho.

– Não pense nisso, Débora. Fique quieta. Agora cuide-se e se alimente, isso é muito importante para você se recuperar rapidamente e logo voltar para casa.

Mãe, voltei!

– Obrigada, doutor – diz Débora.

– Vou buscar o medicamento que o médico indicou e trazer-lhe um prato com sopa – diz Pedro.

– Obrigada, Pedro.

Nina e Felipe chegam ao leito e começam a ministrar um passe.

– Venha, Pedro. Vamos, que vou lhe passar a medicação que terá que aplicar em Débora – diz o médico.

– Vamos sim, doutor.

– Espere que já volto, Débora – diz Pedro, preocupado.

– Sim, pode deixar.

Pedro vai até a cozinha e pega uma tigela com sopa e o medicamento indicado para Débora.

Logo ele está de volta ao leito da paciente.

Carinhosamente Pedro alimenta Débora sem perceber que em seu coração algo acontece. O olhar de Débora, embora debilitado, mexe profundamente com seus sentimentos.

Débora também percebe algo diferente no olhar daquele belo rapaz moreno, de barba cerrada, corpo musculoso, sorriso farto, olhos castanho-claros, dentes brancos e muita simpatia no falar.

Após três dias, Débora recebe alta do CTI e é levada para a enfermaria onde divide o quarto com mais duas mulheres.

Quieta e fechada, Débora pouco conversa. Se sente bem, embora com alguma dificuldade de locomoção. A saudade de Allan lhe tortura todos os dias.

Josi é quem está de plantão e atende a um chamado de Débora.

– Mandou me chamar, Débora?

– Sim. Desculpe-me, mas preciso falar com o doutor Leônidas.

– Ele é quem vai passar visita hoje à tarde. É só você esperar.

– Obrigada, enfermeira.

– De nada, amiga. Agora procure se alimentar bem para logo voltar para casa.

– Posso lhe fazer outra pergunta?

– Sim, claro que sim.

– Você não vai ficar chateada comigo?

– Depende da pergunta, não é?

– É sobre o Pedro.

– Pedro, o enfermeiro?

– Sim, ele mesmo.

– Sobre ele você pode perguntar o que quiser. Ele é meu amigo.

– Quem bom!

– O que você quer saber sobre ele?

Mãe, voltei!

– Ele é casado, tem esposa, namorada, alguma coisa assim?

– Não, amiga, ele não tem ninguém. Está interessada nele?

– Não, não é nada disso. É que ele me parece uma pessoa triste.

– Deixa de conversa-fiada, Débora, foi só você melhorar um pouquinho e já está interessada no meu amigo.

Débora fica envergonhada.

– Deixa de ser boba, mulher. Ele é um partidão mesmo.

– Perdoe-me, enfermeira. Qual é o seu nome?

– Josi, Débora, Josi. E pode deixar que eu não vou falar nada com ele, fique tranquila.

– Obrigada – diz Débora.

– Amanhã é o plantão dele.

– Obrigada, Josi.

– Olha, o seu médico tirou quase toda a sua medicação. Aproveita logo para conhecer melhor o Pedro, pois já, já ele vai lhe dar alta.

– Você acha?

– Sim, você já está bem melhor. Agora é fisioterapia e exercício para tudo voltar ao normal.

– Tomara! Ainda sinto uma fraqueza enorme.

– Isso é normal para quem ficou em estado de coma. Logo seu organismo vai reagir e você terá uma vida normal.

– *Taí* uma coisa que eu não queria.

– O que, mulher?

– Uma vida normal.

– Por quê?

– Vida normal seria eu voltar para casa e o meu Allan estar me esperando. Mas eu sei que isso não vai acontecer.

– Débora, você ainda é jovem e tem muita vida pela frente. Procure seguir em frente.

– Vou tentar, vou tentar. Prometo.

– E você vai conseguir, tenho certeza.

– Obrigada por suas palavras, Josi.

– De nada, amiga. Agora descanse.

– Obrigada.

Ao sair da enfermaria Josi vai até a cantina para lanchar. Ela pede seu lanche e senta-se à única mesa que fica próxima à porta de saída da cantina. Logo ela é surpreendida com a presença de Pedro.

– Olha quem está aqui! Não morre tão cedo!

– Oi, Josi! – diz Pedro se aproximando.

– Sente-se aqui, que tenho uma coisa para lhe contar.

– Sério? Mas hoje é minha folga, só passei aqui para pegar minha

Mãe, voltei!

jaqueta que estava no meu armário. Já olhou lá fora? O mundo vai acabar em água.

– É, está chovendo muito mesmo, mas sente-se aqui, quero lhe contar uma coisa.

– Rapidinho, por favor! – diz Pedro sentando-se à mesa.

– Sabe aquela menina que saiu do coma, a Débora?

– Sim, claro que sei.

– Eu não devia lhe contar, vai parecer fofoca, mas não é.

– O que houve?

– A Débora está muito interessada em você.

– Quem lhe disse isso?

– Ela, ora!

– Como assim?

– Ela aproveitou que eu estava cuidando dela e começou a me fazer perguntas sobre você.

– Perguntar não quer dizer que está interessada.

– Meu amigo, uma mulher conhece perfeitamente outra mulher. Nós, mulheres, entendemos bem dessas coisas.

– Bobagem, Josi!

– E você, gostou dela?

– Para ser sincero sim, achei Débora uma mulher muito interessante.

– Que bom! Então corre, porque acho que ela vai ter alta amanhã.

– Mas ela ainda está muito debilitada.

– O caso dela agora é fisioterápico.

– Sabe que sou fisioterapeuta também, não é? – diz Pedro.

– *Taí* uma boa oportunidade para você se aproximar ainda mais dela. Ofereça seus serviços.

– Ela já deve ter alguém para assisti-la.

– Tenta, homem, tenta! Não custa nada falar. Se você quiser eu mesma falo.

– Amanhã falo com ela. Pode deixar. Por acaso, posso ir agora?

– Pode sim, amigo. Boa sorte, meu amigo!

– Obrigado – diz Pedro beijando a face de Josi e saindo.

Pedro sai de perto de Josi, mas seus pensamentos estão mesmo é em Débora. Ele não sabe explicar, mas algo mexe muito com seus sentimentos quando o assunto é Débora.

Quando a vida te escolhe

Pedro chega ao quarto de Débora, acompanhado do doutor Leônidas.

– Bom dia, Débora!

– Bom dia, doutor!

– Como se sente hoje?

– Bem, muito bem; tirando a fraqueza das pernas estou bem!

– Pois hoje é o seu grande dia, vou lhe dar alta.

– Está bem, doutor.

– Você vai precisar de um fisioterapeuta. Conhece algum?

– Não, senhor.

O coração de Pedro dispara. Ele toma coragem e diz:

– Ela já tem um sim, doutor, ela já tem um fisioterapeuta.

– Como assim – diz Débora.

– Tem ou não tem um fisioterapeuta, senhora Débora? – insiste o médico.

Mãe, voltei!

– Eu não tenho não, doutor.

– Eu vou cuidar de você, Débora – diz Pedro.

– Por acaso você é fisioterapeuta?

– Sim, doutor Leônidas, sou formado e exerço a fisioterapia em minhas folgas aqui do hospital.

– Olha que boa notícia, Débora; você vai continuar sendo assistida pelo Pedro.

– Mas eu não tenho condições de pagar por esse tratamento.

– Eu não estou lhe cobrando nada, Débora – diz Pedro.

– Mas...

– Deixe de bobagens, menina! Se ele está se oferecendo para cuidar de você, aceite e pronto – diz o médico.

– Sim, Débora, aceite e pronto – diz Pedro.

– Está bem então – diz Débora sentindo uma alegria no coração.

– Vou lhe dar alta logo depois do almoço, assim avise a seus familiares para virem buscá-la.

– Eu não tenho família aqui, doutor.

– Tem sim, Débora, tomei a liberdade de ligar para a sua mãe e ela está chegando ainda hoje. Assim que ela chegar você pode ir para casa – diz Pedro.

– Obrigada, doutor. Mas como vocês conseguiram o telefone da minha mãe?

– Sua mãe ficou um bom tempo ao seu lado enquanto você estava no CTI desacordada. Acontece que ela teve que voltar para sua cidade natal para resolver um pequeno problema com a sua irmã mais nova. Mas segundo ela me falou, elas já estão no ônibus a caminho do hospital. Logo, logo estarão aqui – diz Pedro.

– Obrigada por me ajudar, Pedro – diz Débora.

– De nada. Agora vou providenciar sua alta e assim que sua mãe chegar eu lhe aviso e levamos você para casa.

– Obrigada, doutor Leônidas, pela paciência e ajuda que me deram.

– De nada, Débora. Agora vê se toma juízo e não atente mais contra a sua vida.

– Sabe, doutor, enquanto eu estava em coma tive uns sonhos esquisitos, porém muito reais.

– Que tipo de sonho?

– Sonhei que estava viajando em um trem sem trilhos. Engraçado, esse trem não fazia barulho e me levava a diversas cidades, onde eu procurava pelo meu filho.

– Olha que legal! – diz Pedro.

Mãe, voltei!

– Mas o que aconteceu em seu sonho? – pergunta Leônidas.

– Não me lembro de muitas coisas. Mas uma menina linda de cabelos ruivos era quem me auxiliava na viagem, ela e o namorado dela. E ainda tinha um índio que seguia sempre na frente nos protegendo.

– Esses sonhos são normais quando o paciente fica muito tempo em coma – diz o médico.

– Mas o que mais me impressiona é que eram sonhos muito reais.

– Você já ouviu falar de espiritismo? – pergunta o médico.

– Sim, uma vez fui a um centro espírita.

– Então, quando você estiver melhor, procure uma boa casa espírita e tente saber as respostas para esses sonhos. Aproveite e tente saber notícias de seu filho também.

– Como assim, doutor?

– Existem determinadas casas espíritas que realizam um trabalho muito bonito, chamado cartas consoladoras.

– Nossa, o que será isso?! – diz Débora.

– São mensagens que os que foram na nossa frente escrevem para consolar nossos corações. Eles falam sobre a vida após a morte.

– O senhor é espírita, doutor? – pergunta Pedro.

– Sim, com muito orgulho, sou espírita.

– E onde fica o centro espírita que o senhor frequenta?

– Fica perto de minha casa. Se quiser visitar é só me avisar que lhe passo o endereço.

– Quem sabe um dia, não é, doutor – diz Pedro.

– Pois eu gostaria de saber o endereço, doutor, quem sabe o Allan não escreve uma cartinha para mim?

– Vou deixar o endereço e o telefone junto com a receita dos remédios que você ainda vai precisar tomar. E não se esqueça que daqui quinze dias terá que voltar aqui para eu poder examiná-la. Agora espere por seus familiares e você já pode ir para casa. Combine com o Pedro a fisioterapia. E se precisar de mais alguma coisa, o meu telefone particular vai estar também na receitinha que deixarei para você.

– Obrigada, doutor. Você é um anjo que apareceu em mina vida. Como aquela menina ruiva.

– De nada, Débora. Só quero lembrar-lhe uma coisa.

– Sim, doutor, pode falar.

– Nunca mais faça o que você fez. Tentar contra a própria vida contraria muito o nosso Pai.

– Pode deixar, doutor. Prometi ao Allan que eu o encontraria onde quer que ele estivesse. Mas vou esperar. Quando eu morrer, procuro pelo meu filho na eternidade.

– Isso, faça isso. Ore muito a Deus e aos bons espíritos para que você possa encontrar-se com seu filho na eternidade.

Pedro ouve tudo calado.

– Mais uma vez, obrigada por tudo, doutor.

– Cuide-se – diz Leônidas se afastando.

Nina e Felipe chegam novamente ao quarto e o ambiente logo se enche de luz.

– Olha, Nina, como ela está bem.

– Sim, ela está ótima; agora é só se cuidar e tudo vai se cumprir.

– Tudo o que, Nina? O que você está sabendo que eu não sei?

– Vamos acompanhar de perto agora tudo o que vai acontecer – diz Nina olhando fixamente para Felipe.

– Ai meu Deus, lá vem encrenca! – diz Felipe, preocupado.

Nina sorri.

Pedro aproxima-se de Débora para arrumar sua cama. E Débora puxa conversa.

– Então, além de enfermeiro, você é fisioterapeuta?

– Sim, sou enfermeiro e fisioterapeuta.

– Olha, vou logo avisando: não tenho condições de pagar por seus serviços.

– E quem é que está lhe cobrando alguma coisa aqui?

– Eu não sei se devo aceitar sua ajuda.

– Desde o dia em que entrei no CTI e vi você, algo muito forte aconteceu dentro de mim – diz Pedro olhando fixamente para Débora.

– Como assim?

– Não sei lhe explicar, Débora, mas parece que eu já a conhecia de algum lugar; estranhamente uma enorme onda de calor aqueceu o meu coração.

– Você está me cantando, é isso?

– Se você acha que é uma cantada, encare como uma cantada. Eu simplesmente estou abrindo meu coração para você. Coisa que não faço normalmente.

– Lindas as suas palavras, Pedro. Mas estou no leito de um hospital e preciso colocar o meu juízo em dia – diz Débora.

– Perdoe-me, Débora.

– Não, não me peça perdão. Não é isso. É que ainda estou confusa.

Mãe, voltei!

– Sem problemas. Vou cuidar da papelada da sua alta. Daqui a pouco eu volto para lhe preparar a saída.

– Perdoe-me, Pedro, por favor!

– Sem problemas, eu já disse. Vou à enfermaria resolver algumas coisas. Assim que sua mãe chegar, libero você para sair.

– Obrigada, Pedro.

– De nada – diz o rapaz se afastando.

Débora demora a perceber que Pedro está totalmente apaixonado por ela. Seus pensamentos agora refletem o amor que está presente entre os dois. Ela fica feliz e resolve ajeitar os cabelos. Pede emprestado à paciente ao lado seu batom e se prepara para deixar o hospital.

Em seu peito há um misto de alegria e amor. Afinal, a vida recomeça quando ela sai daquele hospital. Mas a saudade de Allan ainda é latente em seu coração.

Pedro volta ao quarto com um envelope branco nas mãos.

– Débora!

– Sim.

– Vejo que já está arrumada.

– Você não disse que eu tenho que ir embora?

– Infelizmente, sim – diz Pedro.

– Brincadeira de mau gosto, Pedro.

– Não é verdade, vou sentir falta da minha paciente predileta – diz o rapaz.

– Você não disse que vai ser o meu fisioterapeuta?

– Sim, eu sou seu fisioterapeuta. E aqui está a receita dos remédios que você ainda precisa tomar. Você me aceita como seu fisioterapeuta?

– Sim, claro que sim! – diz Débora com um sorriso no rosto.

– Nossa, que bom!

– Pois bem, continuaremos a nos ver então. Obrigada! – diz Débora pegando o envelope.

– Ainda bem que você aceitou os meus serviços. Eu já estava ficando desesperado.

Os olhares se encontram, encantados com o amor.

– Podemos ir?

– Sim, sua mãe e sua irmã estão lá fora esperando por você.

– Elas vieram?

– Sim.

– Nossa, que saudade de minha mãe e minha irmã! Meu pai não veio?

Mãe, voltei!

— Eu não sei lhe informar. Sua mãe foi quem me procurou para avisar que já estavam esperando por você. Pude ver que ela estava acompanhada de sua irmã que conheci agora.

— Não vejo a hora de abraçar minha mãe.

— Vamos, elas estão na portaria esperando.

— Vamos sim. Tchau, meninas, melhoras para vocês – diz Débora se despedindo das demais pacientes da enfermaria.

— Débora, sente-se aqui – diz Pedro indicando-lhe uma cadeira de rodas.

— Obrigada, Pedro.

Ao chegarem à porta de saída, Marilza e Solange esperam ansiosas por Débora que alegre e feliz abraça carinhosamente sua mãe e sua irmã.

— Mãe! – diz Débora abraçando sua mãe. – Perdoe-me!

— Minha filha, Deus é muito maior que nossas dores – diz Marilza abraçando a filha.

— Solange, você já está uma mocinha. Olha como está grande!

— Sim, uma mocinha, mas sem nenhum juízo – diz Marilza.

— O que houve, mamãe?

– Depois eu conto. Agora vamos para casa. Eu já deixei tudo preparado para o seu retorno.

– Obrigada, mamãe, você não precisava ter se preocupado.

– Venha, Solange – diz Marilza.

– Esperem... Pedro, Pedro.

Pedro se vira e olha para Débora.

– Toma – diz ela mostrando um pequeno pedaço de papel preso entre os dedos da mão esquerda.

Pedro se aproxima e pega o papel.

– Me liga. Olha, obrigada por tudo.

Pedro sorri e olha para Débora com ternura.

– Venham, meninas, vamos embora – diz Débora.

Um táxi já esperava e logo elas chegam à humilde casa.

Débora para no portão e senta-se na calçada. Ela não tem forças para seguir em frente. Marilza senta-se ao lado da filha.

– Tenha coragem, meu amor. Nós também demoramos a aceitar a partida do Allan. Não está sendo fácil para ninguém de nossa família. Seu pai só chora a perda do neto, ele não se conforma.

– Mãe, quando eu estava em coma no hospital, conheci uma menina em meus sonhos, e me lembro de suas palavras. Só não me recordo o nome dela. E ela me dizia que tudo tem um propósito em nossa vida. Perco as forças ao encarar minhas realidades, porque elas estão mortas dentro de mim. Mas a fé e a certeza de que nada termina me trazem a coragem de que necessito para seguir em frente.

– Isso, minha filha, isso mesmo. Pense desta forma.

– Minha querida mãezinha, eu já passei por muita coisa ruim quando decidi deixar sua casa na pequena cidade em que vivíamos e vim encarar a vida na cidade grande. Aqui é lobo comendo lobo. As pessoas são frias e insensíveis. Principalmente com as pessoas que vivem em comunidades carentes como essa em que vivo. Mas tenho dignidade. E isso me faz diferente dentre muitos daqueles que esbanjam dinheiro, mas que não têm caráter. Só parei aqui porque foi aqui uma das últimas vezes em que sentei com o Allan e ficamos juntinhos nos amando. Posso ainda sentir seu cheiro.

Lágrimas escorrem no rosto de Débora. Delicadamente Marilza enxuga as lágrimas da filha com os dois polegares.

– Não chore, minha filha, não chore!

– Não são lágrimas de dor, mamãe. São lágrimas da ausência que esse menino me traz, são lágrimas de um vazio aqui dentro do meu peito que sei, jamais será preenchido. Eu e o Allan éramos cúmplices de uma vida. Agora fica esse vazio.

– Deus vai lhe dar as repostas, minha filha, confie.

– Eu sei, eu sei. Vamos, vamos entrar em casa – diz Débora se levantando.

Fraca, chorando e muito triste, Débora entra em casa e repara que os móveis foram trocados de lugar. O armário onde estavam as roupas de Allan foi substituído por outro de cor branca. Débora não pergunta nada sobre as coisas de Allan. Ela se deita na cama e pede para ficar sozinha. Luana, sua amiga e vizinha que se dirigia ao quarto, é abordada por Marilza que pede a ela que volte depois, no que é prontamente atendida. Alguns vizinhos curiosos ficam em frente à casa de Débora conversando. Marilza fecha a porta e atende ao pedido da filha, que deseja ficar sozinha.

Solange vai até a cozinha e senta-se à mesa de jantar. Sua mãe senta-se na outra extremidade da mesa.

– Ela me parece bem, não é, mãe?

– Sim. Sua irmã sempre foi uma mulher determinada. Espero que ela se recupere logo para que eu possa conversar com ela sobre você.

– Você tem certeza que o melhor para mim é isso?

– Sim. Não tenho dúvida de que o melhor para você é que fique morando aqui até que tudo termine. Além de que, ela vai precisar de companhia e seu pai nada ficará sabendo da lambança que você fez.

Mãe, voltei!

– Então eu vou ficar aqui com ela pelo resto da minha vida.

– Isso quem vai decidir é Débora. Com a morte do Allan ela realmente vai precisar de companhia. Mas quem decide quanto tempo você vai ficar aqui é ela.

– Conversa logo com ela, mamãe.

– Tenha calma, Solange, vou preparar o jantar. E depois da janta eu converso com ela.

– Está bem, mamãe.

– Vou pegar as batatas para você descascar, enquanto preparo o arroz e o feijão. Sua irmã precisa se alimentar muito bem.

– Está bem – diz Solange.

Débora deita-se e dorme.

Após algumas horas ela é acordada por Marilza.

– Filha, filha, acorda!

– Oi mãe!

– Levante-se, venha jantar. Preparei uma comidinha especial para você.

Débora se levanta.

– Vou sim, só me deixa lavar o rosto.

– Estarei esperando por você na mesa de jantar.

– Eu vou, mãe.

Todos se sentam e começam a comer.

– Como está sua fraqueza? – pergunta Solange.

– Estou melhor – diz Débora.

– Débora, tenho um assunto muito importante para tratar com você.

– O que houve, mamãe?

– Sua irmã arrumou um baita problema para todos lá em casa.

– O que você aprontou, Solange?

– Ela está grávida – diz Marilza.

– Como assim, grávida?

– Sua irmã se envolveu com um rapaz lá na fazenda do senhor Nelson e olha aí o resultado.

– Menina, por que você não se cuidou? – pergunta Débora.

– Porque ela nunca teve juízo. Veja só, uma menina com dezesseis anos e grávida. Se seu pai sabe disso ele me mata – diz Marilza.

– Meu Deus! Com quantos meses você está de gravidez?

– Três meses. Acabou de fazer – diz Marilza.

– Nem tem barriga ainda.

Mãe, voltei!

– Ainda bem. Se seu pai descobre isso...

– E o que você precisa que eu faça, mamãe? – diz Débora.

– Vou dizer ao seu pai que você está muito debilitada e que estou com medo de deixar você sozinha e você cometer suicídio. Vou dizer a ele que a Solange vai ficar morando aqui com você por um tempo até que você se recupere. E então ela poderá voltar para casa. Daí você arruma alguém para ficar com essa criança. Isso tem que ser bem feito, ninguém pode saber que Solange teve um filho. Entendeu?

– Entendi, mamãe, mas é seu neto ou, sei lá, sua neta que vai nascer – diz Débora.

– Netos são aqueles que nascem de casamentos. É assim que nós fomos criados lá no interior. Eu já perdi você para a vida. Seu pai não vai se conformar em perder Solange. Você sabe como ele é agarrado com a sua irmã. Se ele souber disso estamos ferradas.

– Está bem, mamãe, eu não vou discutir com você mais uma vez. Deixe a Solange comigo. Eu cuido dela e depois, se for o caso, cuido do bebê.

– Não, eu não quero que você cuide dessa criança. Ela é fruto de um pecado que sua irmã fez questão de cometer. Isso é uma desonra para a nossa família lá em nossa cidade. Essa criança não pode aparecer nunca.

– Está bem, mamãe, está bem. Fique tranquila, Solange, vou arrumar alguém para adotar seu bebê. Tenho uma amiga que vai me ajudar. Mas eu poderia ficar com ele?

– Eu não quero essa criança na família, Débora, você entendeu?

– *Ok*, mamãe, sem problemas – diz Débora. – E você, Solange, o que acha disso tudo?

– Cometi esse erro. Mamãe tem razão, essa criança não pode aparecer.

– Mas é seu filho.

– É sim, é meu filho, mas não vou estragar minha juventude com uma criança. Eu ainda sou muito nova. Tenho muita coisa pela frente.

– *Ok*. Se é isso que vocês decidiram, quem sou eu para questionar? – diz Débora, irritada.

– Você pode fazer isso por nós?

– Posso sim, mamãe, vou ajudar você e Solange, embora eu ache que isso está muito errado.

– É o que decidimos. E lembre-se: seu pai não pode saber de nada.

– Sem problemas, mamãe, sem problemas.

– Outra coisa: assim que essa criança nascer, e você a der para alguém, não diga que Solange é a mãe. E vá lá em casa para visitar seu pai.

Mãe, voltei!

– Pode deixar, mamãe, pode deixar – diz Débora, contrariada. – Agora se me permitem, vou deitar, estou com aquela fraqueza nas pernas.

– Venha, filha, venha deitar – diz Marilza, auxiliando Débora a andar.

Após um mês Marilza viaja de volta para casa e deixa Solange sob os cuidados de Débora.

O destino

Débora está na cozinha preparando o café da manhã, quando seu telefone celular toca.

– Alô!

– Alô, quem está falando?

– Seu fisioterapeuta.

– Oi, Pedro!

– Você não vai fazer a fisioterapia?

– Me desculpe não ter ligado, mas me sinto envergonhada.

– Deixe de bobagens, Débora. Olha, estou perto da sua casa; posso dar uma passadinha aí para começar seu tratamento?

– Como assim, perto da minha casa?

– Eu dei uma carona para sua mãe quando você estava no hospital, por isso sei onde você mora.

– Meu Deus! Você sabe onde moro?

– Sim. Posso passar aí?

Mãe, voltei!

– Pode.

– Então, põe água no fogo para o café, que já estou chegando.

– O café já está pronto, seu bobo.

– Oba! Até já.

– Beijos.

– Para você também.

Solange se aproxima e pergunta:

– Quem era ao telefone, maninha?

– O Pedro. Ele vai passar aqui para começar meu tratamento fisioterápico.

– Ele é um gato, não é?

– Menina, você mal acabou de arrumar um problema, já quer arrumar outro?

– *Tô* brincando. Mas olha, é um partidão para você.

– Olha o respeito, Solange, olha o respeito!

– Não está mais aqui quem falou...

– Pegue a toalha e me ajude a arrumar a mesa.

– Está bem.

Após vinte minutos...

– Bom dia, meninas!

– Bom dia, Pedro – diz Solange, animada.

– Bom dia, Débora.

– Bom dia, Pedro.

– Como está a minha paciente?

– Estou melhorando a cada dia.

– Vamos começar seu tratamento e logo você estará apta a voltar à sua vida normal.

– Perdoe-me por não ter ligado. É que me senti envergonhada.

– Deixa de bobagens. Vamos tomar o café e começar logo esse tratamento. Afinal, tenho plantão ainda hoje e alguns clientes para atender.

– Venha, entre, sente-se – diz Débora mostrando uma cadeira na mesa de jantar.

Pedro senta-se, toma um café e realiza o primeiro atendimento fisioterápico em Débora na cama de casal dela.

Após algum tempo...

– Pronto, terminei!

– Obrigada, Pedro.

– Você se sente melhor agora?

Mãe, voltei!

– Sim, essa perna ainda estava meio bamba; agora posso senti-la melhor.

– Acredito que com mais algumas massagens e drenagens, você poderá retomar sua vida normal.

– Não tenho palavras para lhe agradecer, Pedro.

– Posso lhe pedir uma coisa – diz o rapaz aproximando-se de Débora.

Envergonhada, ela diz:

– Claro que sim.

Pedro acaricia o rosto de Débora e aproxima seus lábios aos dela.

Sem resistir, Débora cede a um beijo apaixonado.

Seus corpos se encontram em um caloroso abraço.

– Sempre sonhei com isso – diz Pedro.

– Perdoe-me – diz Débora.

– Nunca havia sentido nada do que sinto agora dentro de mim. Parece que há uma chama acesa querendo destruir meu coração – diz Pedro, apaixonado.

– Não sei por que, mas quando acordei do coma, meu coração procurava por algo que agora sei que encontrei.

– Não fale muito, beije-me – diz o jovem apaixonado.

Solange, ao perceber o clima de amor que envolveu todo o ambiente, sai para dar uma volta na rua.

Após seis meses Débora aceita o pedido de casamento de Pedro e eles decidem morar juntos. Débora então sai da comunidade e vai morar no apartamento alugado de Pedro na zona oeste da cidade.

Solange está perto de ter seu bebê, quando o assunto de novo volta à mesa de jantar da família.

– Solange, amanhã quando sairmos da consulta com o seu médico, vamos até a casa de Vera, aquela amiga minha que lhe falei. Eu já liguei para ela para tratarmos do assunto do seu filho. Ela me pediu que fôssemos até o centro espírita conversar com a psicóloga que atende gratuitamente lá.

– Você falou com ela que temos que dar o bebê para alguém?

– Sim, falei.

– Vocês estão certos que vão fazer isso? – diz Pedro.

– Foi o que a mamãe nos pediu para fazer, Pedro – diz Débora.

– Olha, não tenho nada com isso, mas sinceramente acho uma estupidez sem tamanho. A Débora está tentando engravidar há uns três meses. E você querendo dar essa criança?

– Foi o que a minha mãe determinou, Pedro – diz Solange.

Mãe, voltei!

– Falando nisso, você já pegou o resultado de seu espermograma, Pedro? – diz Débora.

– Vou pegar hoje, amor.

– Meu Deus, espero que esteja tudo bem.

– Vai estar, amor, pode confiar – diz Pedro.

– Pedro, já cansei de falar sobre isso com a Solange. Poderíamos ficar com essa criança, mas conhecendo a dona Marilza como conheço, minha vida se transformaria em um inferno sem precedentes. Mamãe é daquelas mães tradicionais. Eu mesma, quando decidi sair de casa para tentar minha vida, sofri horrores com ela e papai que só melhoraram quando levei o Allan para eles conhecerem. O meu amado filho conquistou o coração de papai, daí dona Marilza ficou mais calma. O melhor a fazer mesmo é doar essa criança. A Vera me falou que eles têm pessoas ricas loucas para terem um filho e que isso é fácil para ela resolver. Além de tudo, o pai dessa criança pode querer cobrar sua presença e isso será a ruína de nossa família.

– Vocês já sabem a minha opinião, não é? Não toco mais neste assunto – diz Pedro, irritado.

– Vamos fazer assim: eu vou com a Solange até a consulta dela, depois passo no centro espírita. À tarde podemos nos encontrar para lanchar no *shopping*, o que vocês acham?

– Combinado – diz Pedro.

– Combinado – confirma Solange.

Após a consulta médica, Solange e Débora se dirigem ao centro espírita para tratar do assunto da adoção. O parto está muito perto.

Vera recebe Débora com carinho e ternura. Solange se sente acolhida, tudo é confortante no centro espírita.

– Olá, Débora!

– Oi, Vera, como vai?

– Estou muito bem e você?

– Estamos todos bem.

– Entrem – diz Vera indicando uma sala confortável onde Jeane, sentada, espera por ambas.

– Essa é a doutora Jeane, nossa psicóloga voluntária de hoje.

– Bom dia, Jeane! – diz Débora.

– Sentem-se, meninas.

Após sentarem, Jeane oferece um copo com água a ambas, o que é de pronto aceito.

– Então a menina quer doar a criança que vai nascer. É isso?

– Sim, Jeane, minha família é um pouco complicada e minha mãe não quer essa criança na família.

– Compreendo. Qual o sexo da criança?

Mãe, voltei!

– Não sabemos, fizemos questão de não saber para não criarmos laços sentimentais – diz Solange.

– Compreendo.

– Vera, explique-lhes a visão espírita da adoção, por favor.

– Vocês querem saber?

– Sim, Vera, queremos saber. Porque aquela palestra a que assisti na última vez em que estive aqui me ajudou muito a compreender as coisas que aconteceram comigo. Embora eu tenha me desesperado e tentado resolver de outra forma, agora compreendo melhor tudo o que aquele palestrante maravilhoso falou.

– Então prestem muita atenção: pela visão espírita, todos nós somos adotados. Porque o único Pai legítimo é Deus. Os pais da Terra não SÃO nossos pais, eles ESTÃO nossos pais. Porque a cada encarnação, em cada existência, nós mudamos de pais consanguíneos, mas em todas elas Deus é sempre o mesmo Pai. Mas, para entendermos melhor a existência desta experiência na vida de muitos pais, é necessário analisá-la sob a óptica espírita, sob a luz da reencarnação. Vocês estão entendendo?

– Sim, Vera, pode continuar – diz Débora.

– Prosseguindo: a formação de um lar é um planejamento que se desenvolve no mundo espiritual. Sabemos que nada ocorre por acaso. Assim como filhos biológicos, filhos adotivos também são companheiros de vidas passadas. E nossa vida de hoje é resultado do que angariamos para nós mesmos, no passado. Surge, então, a indagação: "se são velhos conhecidos e deverão se encontrar no mesmo lar, por que já não nasceram como filhos naturais"? Não é mesmo?

– Sim, fica essa dúvida – diz Débora.

– Na literatura espírita, Débora, encontramos vários casos de filhos que, em função do orgulho, do egoísmo e da vaidade, se tornaram tiranos de seus pais, escravizando-os aos seus caprichos e pagando com ingratidão e dor a ternura e zelo paternos. De retorno à Pátria Espiritual (ao desencarnarem), ao despertarem-lhes a consciência e entenderem a gravidade de suas faltas, passam a trabalhar para recuperarem o tempo perdido e se reconciliarem com aqueles a quem lesaram afetivamente.

– Isso explica muitas maldades, não é? – diz Solange.

– Sim, Solange. Por favor, prossiga Vera.

– Assim, reencontram aqueles mesmos pais a quem não valorizaram, para devolver-lhes a afeição machucada, resgatando o carinho, o amor e a ternura de ontem. Porque a lei é a de Causa e Efeito. Não aproveitada à convivência com pais amorosos e desvelada, é da Lei Divina que retomem o contato com eles como filhos de outros pais chegando-lhes aos braços pelas vias da adoção. Vocês estão compreendendo?

– Sim.

– Então aos pais cabe o trabalho de orientar estes filhos e conduzi-

-los ao caminho do bem, independentemente de serem filhos consanguíneos ou não. A responsabilidade de pais permanece a mesma. Recebendo eles no lar a abençoada experiência da adoção, Deus sinaliza aos cônjuges estar confiando em sua capacidade de amar e ensinar, perdoar e auxiliar aos companheiros que retornam para hoje valorizarem o desvelo e atenção que ontem não souberam fazer. Trazem no coração desequilíbrios de outros tempos ou arrependimento doloroso para a solução dos quais pedem, ao reencarnarem, a ajuda daqueles que os acolhem, não como filhos do corpo, mas sim filhos do coração. Allan Kardec elucida: "Não são os da consanguinidade os verdadeiros laços de família e sim os da simpatia e da comunhão de ideias".

— Então, quero aproveitar esse ensinamento que você está nos passando e lhe perguntar uma coisa.

— Pergunte, Débora.

— Posso?

— Claro que sim.

— Devemos esconder de filhos adotivos que eles são adotivos?

— Olha, Débora, um dos maiores erros que alguns pais adotivos cometem é esconder a verdade aos seus filhos. É importante, desde cedo, não esconder a verdade. Às vezes, o fazem por amor, já que os consideram totalmente como filhos; outras, o fazem por medo de perder a afeição e o carinho deles. Quando os filhos adotivos crescem, aprendendo no lar valores morais elevados, sentem-se mais amados por entenderem que o são, não por terem nascido de seus pais, mas sim frutos de afeição sincera e real, e passam a entender que são filhos queridos do coração.

– Eu acho que temos que falar sempre a verdade – diz Jeane.

– Revelar-lhes a verdade somente na idade adulta é destruir-lhes todas as alegrias vividas, é alterar-lhes a condição de filhos queridos em órfãos asilados à guisa de pena e compaixão. Nós não devemos traumatizá-los, livrando-os do risco de perderem a oportunidade de aprendizado hoje. Chico Xavier, quando psicografou com André Luiz, nos traz o seguinte ensinamento:

"Filhos adotivos, quando crescem ignorando a verdade, costumam trazer enormes complicações, principalmente quando ouvem esclarecimentos de outras pessoas", identicamente ao que ocorre em relação aos nossos filhos biológicos, buscar o diálogo franco e sincero, com base no respeito mútuo, sob a luz da orientação cristã de conduta. Pais que conversam com os filhos fortalecem os laços afetivos, tornando a questão da adoção coisa secundária. Recebendo em nossa jornada terrena a oportunidade de ter em nosso lar um filho adotivo, guardemos no coração a certeza de que Jesus está nos confiando à responsabilidade sagrada de superar o próprio orgulho e vaidade, amando verdadeira e desinteressadamente a criatura de Deus confiada em trabalho de educação e amparo. E, ajudando-o a superar suas próprias mazelas, amanhã poderá retornar ao seio daqueles que o amam na posição de filho legítimo.

Mãe, voltei!

– Por que a senhora está nos explicando tudo isso? – pergunta Solange.

– Porque você quer dar seu bebê. E não é justo que eu deixe de lhe explicar as consequências deste ato. Esse bebê pode ser um espírito que está vindo para resgatar algum débito com você, Solange. A forma como ele foi gerado não importa, o que importa é que esse espírito está tendo agora a oportunidade de estar ao seu lado. Como expliquei acima, tudo na vida dessa criança será diferente do que o mundo espiritual possa ter planejado para ela. É justo que você fique sabendo que esse bebê pode ter sido gerado em seu ventre para cumprir algum resgate com você ou simplesmente você tenha sido usada para oportunizar alguém a receber essa criança.

– Em suma, o que queremos deixar bem claro é que você pode ter sido um instrumento ou você é o instrumento.

– Como assim? – pergunta Solange?

– Os espíritos estão todos interligados na evolução. Uns são algozes; outros, heróis. Assim toda a humanidade evolui. Esse bebê pode ser seu ou simplesmente você foi usada para dar esse bebê a alguém.

– O que nós queremos é lhe instruir dentro do espiritismo para, se algum dia você se arrepender, não se sentir enganada. Por isso estamos lhe explicando um pouquinho sobre adotados e adoção – diz Jeane.

– Sinceramente agradeço sua preocupação, mas não me sinto mãe desta criança; alguma coisa dentro de mim me diz que esse bebê não é meu. Alguma coisa dentro de mim diz que eu tenho que dar essa criança para alguém. Quando a minha família decidiu doar essa criança para alguém, confesso, me senti muito aliviada. Essa criança não é minha – diz Solange.

– Isso já foi decidido em nossa família – diz Débora. – Embora eu me sinta a pior pessoa do mundo.

– Não se sinta, Débora – diz Jeane.

– Me sinto sim, tanta gente querendo ter um filho e minha família me obrigando a entregar essa criança para alguém que nem mesmo sei quem é. Eu perdi meu filho e a dor ainda é latente dentro de mim.

– Débora, tudo na lei de Deus tem um motivo – diz Vera.

– Infelizmente essa decisão não é minha – diz Débora, triste.

– Bom, se está decidido, faremos assim: quando a criança nascer você me liga, Débora, que vou até o hospital para buscá-la. Não há mais o que dizer. Vou providenciar toda a papelada e arrumar alguém para a adoção.

– Agradeço muito o seu carinho e preocupação, Vera, mas essa é a decisão da minha irmã e nós devemos respeitá-la, infelizmente.

– Sem problemas, minha amiga.

Solange assiste a tudo calada.

Mãe, voltei!

Débora se levanta, olha para o relógio e percebe que já está atrasada para o encontro com Pedro.

– Vera, obrigada pelo carinho e atenção, mas tenho que ir, temos um encontro com meu marido. Vamos, Solange, estamos atrasadas. O Pedro já deve estar no *shopping* nos esperando. Obrigada, Jeane.

– Vamos – diz Solange se levantando da cadeira com muita dificuldade.

Após se despedirem e deixarem tudo combinado, Débora e Solange se dirigem ao encontro com Pedro.

No jardim de meu coração, onde você plantou amor, existem margaridas a florir.

Osmar Barbosa

Mãe, voltei!

– Olha, lá está o Pedro – diz Débora apontando para uma mesa na praça de alimentação do *shopping*.

– Ande mais devagar, não aguento andar tão rápido com essa barriga toda – diz Solange, se arrastando.

– Nossa, o Pedro está com uma cara horrível! Venha Solange.

– Estou indo.

Ao aproximar-se...

– Oi, amor! – diz Débora beijando Pedro.

– Oi, Pedro!

– Oi, Solange!

– O que houve, amor? Que cara é essa? – diz Débora.

– Sente-se, amor, preciso lhe contar uma coisa.

– É o resultado do exame?

– Sente-se, Débora; sente-se, Solange, por favor.

– Pronto, nos sentamos. O que houve?

Mãe, voltei!

– Débora, infelizmente eu nunca poderei lhe dar um filho.

– Como assim?

– Meu exame apontou que tenho infertilidade.

– Como assim, meu amor?

– Eu tenho uma produção baixa de espermatozóides, e com isso não posso engravidar ninguém.

– Mas existem tratamentos que podemos fazer, amor.

– Não adianta, Débora, além de ter uma baixíssima produção de espermatozoides, eles são imperfeitos.

– Meu Deus! E agora? – diz Solange.

– Podemos fazer inseminação artificial. Vou procurar um médico especialista. Não vamos nos desesperar com o primeiro resultado. Está bem, amor?

– Está bem, Débora, se é assim que você quer, faço tudo pelo nosso amor – diz Pedro.

– Como são as coisas, não é, Débora?!

– Que coisas, Solange?

– Estamos procurando alguém para ficar com o meu bebê, e vocês não podem ter um.

– Pare de falar bobagens, Solange. Uma coisa não tem nada a ver com outra. Você acha mesmo que eu nunca pensei em ficar com o seu bebê? Você acha mesmo que sou tão insensível assim? Imagina! Logo eu que perdi meu filho de uma forma tão cruel? Além de tudo, essa criança que está em seu ventre é meu sobrinho, querendo ou não, ele ou ela é meu parente.

– Não tinha pensado assim – diz Solange.

– Por que então não ficamos com essa criança? – diz Pedro.

– Porque eu quero que você tenha um filho seu e não dos outros. Aliás, ficar com essa criança é suicídio. Papai e mamãe me deserdam. E isso já é assunto encerrado nessa família.

– Vamos seguir o combinado. Confiemos em Deus. Tudo vai se ajeitar – diz Débora.

– Sim, vamos confiar em Deus. Amanhã mesmo vou procurar um médico especialista em reprodução humana. Vou falar com alguns médicos lá do hospital. Se Deus quiser, isso vai ser resolvido – diz Pedro, mais animado.

– É assim que se fala, amor – diz Débora beijando a face de Pedro.

– Agora vamos lanchar, estou morrendo de fome. O que você quer, Débora?

– O de sempre.

– E você, Solange?

Mãe, voltei!

– Não quero nada, estou enjoada.

– Ih! Você sem fome...

Após o lanche todos voltam para casa.

Três horas da manhã de um novo dia...

– Débora, Débora, acorda!

– Oi, amor, o que houve?

– Vá até o quarto da sua irmã.

– O que houve?

– Não sei, só sei que ela não dormiu ainda. Não para de zanzar pela casa. Vai lá ver o que está acontecendo.

– Está bem!

Débora levanta e se dirige ao quarto de Solange, que está sentada na cama acariciando a enorme barriga e muito suada.

– Oi, Solange, com licença. Está tudo bem?

– Não, estou me sentindo muito mal.

– O que você está sentindo?

– Falta de ar e muita cólica.

– Espera aí, que vou chamar o Pedro.

– Por favor!

Débora volta ao quarto e chama Pedro para olhar Solange.

Após examiná-la, Pedro decide seguir para o hospital urgente, ele percebe que Solange não está bem, é chegada a hora do parto.

– Vamos, amor, vamos correndo para o hospital.

– O que houve?

– Não sei, sua irmã apresenta sinais de que chegou a hora do parto, mas a bolsa ainda não estourou. Ela está começando a ter contrações. Vamos logo para o hospital.

– Vamos. Venha, Solange, troque de roupa e vamos para o hospital – diz Débora.

Apressadamente eles seguem para o hospital onde Pedro trabalha e logo Solange é colocada sob os cuidados da doutora Tânia.

Pedro e Débora ficam na sala de espera aguardando por notícias.

– Amor, já são oito horas da manhã, e nada de notícias.

– Ela está no centro cirúrgico, parece que vão fazer uma cesárea.

– Vou ligar então para Vera para vir buscar a criança.

– A criança só recebe alta junto com a mãe. Ela não vai poder levar o neném agora.

– Entendi, então vou ligar para avisar que a criança está nascendo.

– Sim, avise-a.

Mãe, voltei!

Pedro se dirige ao balcão da enfermaria para falar com Nádia, sua colega de trabalho.

– Oi, Nádia!

– Oi, Pedro!

– Você veio do centro cirúrgico?

– Sim.

– Como está a paciente Solange?

– Em estado grave.

– Como assim, em estado grave? O que houve? Meu Deus...

– Ela é sua cunhada, não é isso?

– Sim, ela é irmã de minha mulher.

– É melhor você esperar pela doutora e conversar com ela.

– Mas o que houve?

– Não sei lhe explicar, mas a menina não está nada bem.

– E o bebê?

– Foi salvo.

– Salvo, como assim?

– A criança está fora de perigo. A doutora conseguiu realizar o parto. Tenha calma. Daqui a pouco ela vai descer para falar com vocês.

– Meu Deus! Obrigado, Nádia. Infelizmente eu não posso ir lá em cima. Hoje não é meu plantão e as regras me impedem de ir até lá.

– Fique tranquilo, Pedro, a doutora já vai descer para falar com vocês.

– Obrigado, Nádia.

Pedro vai ao encontro de Débora.

– Oi, amor, como ela está?

– Não sei, Débora. Só sei que a criança nasceu.

– Menino ou menina?

– Não perguntei.

– Poxa Pedro, você poderia ter perguntado, não é?

– Desculpa, amor, mas é que sua irmã não está bem. Eu não sei o que está acontecendo, pois não posso entrar lá. Não estou vestido apropriadamente e hoje não é dia do meu plantão.

– Mas o que está acontecendo?

– Eu não sei. Nádia, minha colega, disse que a doutora vai descer para falar conosco.

– Meu Deus, olhe pela minha irmã.

– Liga para a sua mãe e explica a ela o que está acontecendo.

– Vou ligar.

– Você ligou para a Vera, sua amiga?

Mãe, voltei!

– Sim, ela já está a caminho.

– Vai ser bom ter sua amiga por aqui.

– Sim, com certeza, e além de tudo ela disse que quer acompanhar tudo de perto.

– Liga para a sua mãe e avisa que as coisas aqui não estão dentro do esperado, por favor!

– Vou lá fora ligar.

Após algum tempo, Débora volta à sala de espera e encontra Pedro muito nervoso e preocupado.

– Oi, amor!

– Oi, querida!

– E aí, tem notícias de Solange?

– Não, nada sei, mas pela minha experiência as coisas não estão bem lá dentro.

– Como assim?

– Meus colegas estão me evitando – diz Pedro.

– Vá lá e pergunte então, amor.

– Eu não posso, as regras aqui são bem chatas e os donos do hospital estão presentes. Por isso não posso nem passar da porta que dá acesso às alas do hospital.

– Que droga!

– Vamos esperar, a médica vai vir falar conosco.

– Estou começando a ficar nervosa.

– Não fique. Conseguiu falar com a sua mãe?

– O telefone público está com defeito, e com o meu celular eu não consigo fazer interurbano.

– Depois eu ligo para ela e explico tudo – diz Pedro se sentando.

– Sente-se aqui, amor – convida ele a Débora.

A doutora Tânia se aproxima de Pedro e Débora para dar-lhes notícias de Solange.

– Oi, Pedro!

– Oi, doutora – diz Pedro se levantando. Débora segue o marido e também se levanta.

– A senhora é familiar de Solange?

– Sim, ela é minha irmã.

– Por favor, venham até minha sala, preciso ter uma conversa com vocês.

– A coisa é grave, doutora?

– Sim, Pedro, vamos até a sala, por favor.

– Venha, Débora – diz Pedro pegando na mão direita de sua amada.

Mãe, voltei!

Após entrarem na sala e se sentarem a médica vai direto ao assunto.

– Pedro, infelizmente não tenho boas notícias para vocês.

– O que houve, doutora?

– Solange morreu. Ela não resistiu.

– Como assim? Meu Deus!

Débora desaba no colo de Pedro, em lágrimas.

– O que houve, doutora? – diz Pedro, abraçando Débora.

– Ela teve o que chamamos de Placenta Prévia ou PP.

– Meu Deus! – diz Pedro.

– O que é isso? – pergunta Débora.

– É quando a placenta encobre o orifício interno do útero, o buraco por onde sai o bebê.

– Meu Deus, como é que eu vou explicar isso para a minha mãe?! Meu Deus, minha irmã tão nova!

– Mas doutora, explique-nos um pouco mais. Não havia nada que pudesse ser feito?

– Quando isso acontece a mulher sofre uma hemorragia muito forte, Pedro, como você sabe. E foi isso que infelizmente aconteceu com Solange. O que mais me surpreendeu é que ela é muito jovem para acontecer o que aconteceu. Infelizmente, fizemos o que foi possível para salvá-la, mas sem sucesso.

– Obrigado, doutora, perdoe-nos – diz Pedro.

Débora chora calada ao colo do marido. O momento é de muita dor.

Vera chega ao hospital e é levada à sala da médica onde Pedro e Débora estão. E logo que Débora a vê, levanta, corre e joga-se nos braços da amiga.

– Que bom que você chegou, Vera! Minha irmã acaba de morrer.

– Mas como? O que houve?

– Ela teve uma forte hemorragia – diz Pedro se aproximando.

– Meu Deus! – diz Vera. – E a criança?

– A criança passa bem – diz a médica.

– Vera, me faz um favor, fique com Débora, que vou ver o que é preciso para cuidar do funeral de Solange.

– Pode deixar. Venha, Débora, vamos para sua casa. Não adianta nada ficar aqui.

– É, amor, vai com ela para casa. Eu vou cuidar de tudo aqui – diz Pedro.

Débora é levada para casa. Seu estado é lastimável.

No dia seguinte todos choram a morte da menina e se despedem dela em seu enterro, simples, mas coberto de amor. Marilza não foi ao enterro da própria filha para que a criança não fosse descoberta e desonrasse a família interiorana.

Mãe, voltei!

Débora e poucos amigos enterram Solange com as preces dos amigos da humilde casa espírita que acompanharam todo o cortejo.

No dia seguinte...

O telefone de Débora não para de tocar.

– Pedro, atende o telefone para mim, por favor!

– Pode deixar, amor, eu atendo.

Após atender, ele volta para falar com Débora.

– Amor, é do hospital. Você tem que ir lá para pegar a criança.

– Diga-lhes que vou na parte da tarde. Vou ligar para Vera e combinar com ela.

– Está bem.

Assim Pedro combina de retirar a criança na parte da tarde.

– Pedro, você pode ligar para a Vera e combinar com ela no hospital?

– Posso, amor. Pode deixar, vou ligar e combino tudo.

Três horas depois, Pedro, Débora e Vera chegam ao hospital para retirar a criança.

– Boa tarde, Pedro!

– Oi, Nádia!

– Como foi o enterro de sua cunhada?

– Muito triste, os pais não quiseram saber dela, alguns poucos amigos, mas tudo correu bem. Débora está bem conformada.

– Por que os pais dela não compareceram?

– Por causa de uma gravidez indesejada.

– Nossa, que horror! – diz Nádia.

– Viemos buscar a criança.

– A pessoa responsável da família está aí?

– Sim, minha mulher, ela é irmã da mãe da criança e vai retirar o bebê.

– A papelada já está pronta na secretaria, é só ela ir lá e assinar. Eu preciso do RG e CPF de sua mulher.

– Aqui está – diz Pedro, entregando-lhe os documentos.

– Posso pegar e levar para ela assinar? Pode ser?

– Sim, claro que sim, Pedro. Deixe-me preencher e já entrego.

– Obrigado, Nádia.

– De nada, amigo.

Após assinar todos os documentos Débora, Vera e Pedro ficam esperando a criança chegar.

Nádia aparece na recepção com um bebê enrolado em uma manta verde-claro. Em sua cabeça há uma touca de crochê branca. Nádia então se dirige até Débora e repousa em seus braços o lindo bebê recém-nascido.

Débora sai do hospital, aconchega a criança em seu colo e lentamente retira uma parte da manta que cobre o rosto do lindo menino.

Mãe, voltei!

Débora então cheira-lhe a face. Ela sente algo inexplicável dentro de si. Abraça ainda mais forte a criança. É um momento único quando algo muito forte lhe torce o coração.

Pedro se aproxima, e ela então lhe diz:

– Amor, é um menino, um lindo menino.

Débora tenta controlar suas emoções. Tomada por um sentimento inexplicável, ela se afasta de todos levando em seus braços o menino que acaba de nascer. Ela se dirige a um jardim que existe na frente do hospital.

Nina e Felipe, os amigos do mundo espiritual, se aproximam e se colocam ao lado de Débora. Ela então começa a soluçar as lágrimas da felicidade de um reencontro. E em seus pensamentos ela diz:

"Eu conheço esse cheiro, eu conheço esse menino."

Seu rosto está banhado de lágrimas de amor e felicidade. Ela sente que em seus braços quem está é o Allan.

– Meu filho... Você voltou...

Débora aproxima-se de um gramado e se ajoelha. Ela agradece a Deus por ter em seus braços o seu amado filho Allan. Pedro se aproxima e se ajoelha ao lado de sua amada. Agarrada ao menino junto ao seu coração, diz para seu amado marido:

– Ele voltou, meu filho voltou...

Emocionada, Vera assiste a tudo calada e feliz, com o reencontro de muitas vidas.

Felipe abraça Nina e todos ficam muito emocionados.

Daniel assiste a tudo da Colônia Espiritual Amor e Caridade.

Fim

OSMAR BARBOSA

Cartinhas

Termino aqui mais um livro, emocionado e feliz por poder ter sido escolhido pelo mundo espiritual para tão nobre missão. No final dele trago algumas cartinhas que me foram passadas por crianças lindas da Colônia Amor e Caridade.

Obrigado, Nina Brestonini. Obrigado, Daniel. Obrigado, Felipe e todos os amigos que tenho nessa linda e acolhedora colônia espiritual.

Estamos juntos nessa missão de divulgar essa doutrina que transforma vidas e, principalmente, que modifica corações. Obrigado por minha família e por todos aqueles que estão direta e indiretamente ligados à minha mediunidade e carreira como escritor.

Quero registrar e deixar em minha biografia os ensinamentos que recebo em todas as psicografias. Quero espalhar e deixar marcados em todos os corações a certeza de que a vida não se resume a esta vida, como me diz com carinho e amor minha querida Nina.

Obrigado a todas as mães que lerão este livro. Saibam que seus filhos não morreram, ninguém morre. Essa é a grande verdade da vida. O que fica é a dor da ausência. Os momentos, os abraços, a cumplicidade.

Em outro espaço, em outro lugar, em outra dimensão, nossos filhos

Mãe, voltei!

continuam vivos esperando sempre uma nova oportunidade para estarem de novo ao nosso lado.

Confiem em Deus...

Acreditem em Deus...

Tudo o que nos acontece tem a permissão dEle. E se seu filho não está ao seu lado neste momento, é porque Deus precisou dele para a mais nobre das nobres missões.

O Amor.

Fiquem com Deus...

Osmar Barbosa

Às vezes eu pergunto a Deus por que eu?
E Ele me diz: por que não você?
Eu te amo, Jesus.

Osmar Barbosa

Mãe, voltei!

"Mãe, você é doce como uma uva e quente como o sol do verão. Seu amor me aquece. Você é como uma luz que clareia minha caminhada nessa vida que seu ventre me deu. Tenho muitos motivos para ser feliz, mas felicidade mesmo é ser seu, pertencer à única e mais bela mulher."

Allan

OSMAR BARBOSA

"*Mãe, pare de achar que eu morri; eu quero que você saiba que tudo que vivi ao seu lado foi o mais importante e belo para mim. A doença foi só o instrumento para me trazer para cá. Estou bem.... quando você chegar aqui você poderá entender tudo o que nós tivemos que passar juntas. Cuide-se bem. Cuide do papai e da vovó. Diga a ela que eu a amo muito e que ela deixe de se sentir culpada. O vovô já veio me ver e ele está bem também...*
Hoje eu vivo na Colônia Espiritual Amor e Caridade.
A Nina é quem cuida de mim.
Mãe, eu te amo muito."

Raquel

Mãe, voltei!

"Oi mamãe, poxa como eu sinto a sua falta! Mãe, tenho saudades das noites em que você vinha até meu quarto quando eu tinha medo de dormir sozinho. Lembra que eu tinha medo de tudo? Bobagens, né mãe, você sempre me dizia: para de bobagens, Luciano...

Mãe, eu estou bem... a única coisa que eu reclamo aqui é que não me permitem estar sempre aí em casa visitando você e a Clarice.

Diz para o pai que o trabalho não é tudo, diz a ele que vocês precisam sempre estarem rezando e pedindo a Deus para auxiliar as criancinhas pobres de nosso bairro.

Lembra que eu te falava isso?

Te amo.

Beijos"

Luciano

"Foi o câncer que me afastou de vocês. O sofrimento foi muito grande né, mãe? Não foi, pai? Olha, vocês não são culpados de nada. Nada mesmo. Levantem a cabeça e sigam em frente. Eu estou mais viva do que nunca. Agora eu ajudo a Nina com as crianças menores. Eu já tenho treze anos, sou uma mocinha como você sempre me dizia, mamãe.
Beijos em todos aí, beijos no João, na vó Leia, no vovô João e em todos os meus amigos da escola. Que saudades...
Mãe, te amo."
Beatriz

Mãe, voltei!

"Querida mãezinha,
Não sei muito bem o que me aconteceu, estávamos nos divertindo e o papai estava correndo muito com o carro, de repente tudo fico escuro em minha frente e eu dormi. Quando eu acordei eu estava aqui onde moro agora longe de você, do Lucas e da vovó. A Nina me explicou que é assim mesmo, que dentro de alguns dias eu vou poder ir visitar vocês. Ela me disse que só eu vim para cá e que eu precisava vir porque vocês precisavam ficar sem mim por algum tempo.
Mãe, eu não morri. Mas mãe, eu estou com muita saudade.
Nina falou que vai me levar até a nossa casa para que eu possa beijar vocês.
Beijos."

Milena

"Querida família,

Minha mãe não teve nenhuma culpa no acidente, estávamos paradas no cruzamento quando aquele caminhão perdeu a direção e caiu sobre nós. Minha mãe ainda tentou me proteger, mas não era isso que estava nos planos de Deus.

Ninguém pode culpá-la, como fizeram, ela não teve nenhuma culpa.

Mãe Neuza, eu te amo e sempre te amarei. Nada acontece por acaso.

Hoje eu ajudo a Nina aqui na colônia com as crianças menores.

Te amo muito.

Papai, eu te amo.

Beijos em todos aí... Saudades do vô Miguel e da vó Cecília, não consigo ter notícias deles, não sei porquê!"

Liandra

Mãe, voltei!

"Caramba, eu que pensei que era um rodopio de brincadeira e de repente acordei aqui na colônia espiritual. Pai, você não teve culpa. Foi tão legal o nosso carnaval, né? Brinquei para caramba. Mãe, pare de sofrer, eu não morri!
Estou bem, mas com muita saudade de todos. Nina me prometeu que em breve poderei compreender o que aconteceu. Só me lembro do carro rodando em uma curva e batendo naquele negócio da beira da estrada. Na hora eu senti uma dor forte e aí eu dormi.
Mas agora estou bem!
Te amo, pai; te amo, mãe."

João Bruno

"*Nossa, que tarde horrorosa aquela do dia 24! Eu esperava que fosse embora, mas não que fosse tão cedo. Foram tempos difíceis né, mãe Thais? Sabe, mãe, eu sempre tive a certeza que nada acabaria com a minha morte. Na verdade, a morte não existe. Eu dormi e acordei aqui na colônia sem a doença que me fazia sofrer. Mãe, aqui não tem doença e você me prometeu que um dia nós viveríamos para sempre num lugar sem dor, lembra?*
Eu quero aproveitar essa oportunidade para agradecer a todo mundo que me ajudou, quero agradecer ao Neymar que me beijou e me ajudou bastante.
Mãe, te amo muito."
Seu
Thiaguinho

Mãe, voltei!

"Perdi meu braço, mas eu até consegui fazer bastante coisa com o outro. Perdi meu corpo e continuo fazendo tudo aquilo que sempre desejei. É engraçado como as coisas acontecem aqui. Aqui, mãe, existe um lugar só para crianças como eu que sofreram com o câncer. A Nina cuida com muito amor e carinho de todos nós.
Ela é linda, mãe...
Eu estou bem. Muito bem! Quero dizer que não sinto saudades, porque sempre que sinto saudade a Nina me leva para ver todos vocês. Ela me leva na escola, no hospital, em São Paulo, no outro hospital, me leva para ver todo mundo.
Agora eu vou brincar mais um pouco. Eu continuo fã número um do incrível Hulk e das Tartarugas Ninjas. Ah, e eu continuo fazendo desenhos...
Te amo, mãe!!!"

Mateus

"Querida vovó,
Você tentou o possível para me colocar no caminho certo, mas eu não consegui. Os colegas sempre me levavam para o lugar errado. As drogas que eu consumia eram para mim a coisa mais importante e aos quatorze anos levei uma porção de tiros e agora estou aqui. Fiquei muito tempo em sofrimento sem entender muito bem o que estava me acontecendo, até que um dia a Nina apareceu para me buscar. Vó, ela é um anjo bom. Daí eu saí da escuridão e agora estou na Colônia Amor e Caridade ajudando ela com as crianças menores; aqui só quem trabalha consegue crescer. Hoje eu pedi a ela para lhe escrever esta cartinha, porque você fica sempre se culpando, mas você não teve culpa nenhuma; na verdade, eu precisava passar por essa experiência para compreender o que é Deus. Eu nunca conheci a minha mãe e isso me desequilibrou muito. Vó, eu te amo, fica assim não, tá? Beijos do seu eterno..."

Lucas

Mãe, voltei!

"Querida mãezinha, hoje eu descobri que meu pai já não está mais aí com você. Não fica triste não, mamãe, ninguém morre! Eu mesma não morri. Eu até compreendo o que me aconteceu.
Agora eu sei que a doença foi só o instrumento que Deus usou para me trazer para cá. Eu compreendo que não precisava mais viver aí. Quando você chegar aqui vai entender melhor o que estou tentando te explicar.
Mãe, eu te amo muito."

Isabela

"Oi mãe, essa é mais uma cartinha que eu posso te escrever.
Eu era uma menininha quando te deixei, eu nem sabia escrever, muito menos eu tinha ido à escola. Aprendi tudo aqui com a Nina.
Aqui nós continuamos crescendo, hoje eu estou bem maior.
Não fique perguntando a Deus por quê?
Não há um por quê...
Deus faz as coisas certas na hora certa. Eu não tinha mais que viver aí, meu tempo acabou.
Agora meu lugar é aqui, no mundo eterno. É aqui que nós iremos nos encontrar, eu, você, o papai e meu irmão emprestado.
Mãe, eu te amo muito. Olha, pare de sofrer.
Beijos eternos..."

Manuela

Mãe, voltei!

"Querida mamãe, estamos aqui em fila, eu e os meus amiguinhos aqui da colônia, esperando para mandar essa pequena, mas grande, mensagem para todos os pais que necessitam de um consolo e também saber como estamos. Enquanto eu esperava pensei... quanto tempo tem que eu não visito a mamãe? Será que ela vai se lembrar ainda de mim? Como é que está o meu irmão? Será que ele ainda se lembra de mim? Eu só me lembro do ano em que cheguei aqui, foi em 2016. Eu cheguei aqui com 9 anos de idade, hoje eu tenho um pouco mais, não sei dizer direito... uma coisa eu tenho certeza: eu continuo te amando muito, eu continuo sendo sua caçula querida como você me chamava.

A Nina cuida muito bem de mim e de todos os meus amiguinhos. Tenho saudades da praça que você me levava todos os domingos para brincar. Tenho saudades da vovó Isabel e do vovô Antônio. Mãe, você fez o que pôde para me ajudar, não se culpe, foi só um acidente, você estava distraída e não percebeu a aproximação daquele carro com aquele homem mau. Saudades do Pedro. Despeço-me com um grande beijo nessa sua bochecha linda. Ah, manda um beijão para o papai. Te amo."

Maria Eduarda – sua Duda

"Oi mãezinha, que bom poder te escrever! Nossa! Que saudade de você! Como foi bom ter vivido ao seu lado durante os onze anos que estive aí! Mãe, eu sou coordenador das aulas de hipismo que temos aqui. Você sabe né, eu amo cavalos.

E o papai, como está? Eu não consigo vê-lo.

Eu ajudo os meus coleguinhas a montar nos cavalos que os amigos trazem para nos divertir aqui na colônia.

Tudo aqui é igual a tudo aí, a única diferença é que nós sabemos que não possuímos um corpo como o daí. Temos um corpo diferente aqui.

Que saudade, mãe!

Que saudade, vó!

Um dia nós nos encontraremos novamente. A Nina me garantiu isso.

Beijos enormes em todo mundo aí.

Saudades..."

João Carlos

Mãe, voltei!

*"Oi mãe, oi pai!
Caramba, demoramos muito para nos comunicar, né?
Mãe, muito tempo atrás eu e meus irmãos cometemos algo terrível, e o que aconteceu conosco ao lado de você e do papai foi e é necessário para nossa evolução. As coisas são assim. O que, muitas vezes sentimos como dor, na verdade é um ensinamento ou uma lição necessária para que possamos nos tornar melhores. Eu sei que é difícil entender, mas foi exatamente isso que aconteceu. Nós precisávamos desencarnar juntos para podermos continuar juntos no mesmo lugar, na mesma hora, e na mesma colônia. Foi tudo muito confuso para nós e imaginamos que para você também. Não pudemos acompanhar os acontecimentos depois da tragédia.
Papai e mamãe, nós estamos bem... estamos crescendo e aprendendo muita coisa legal aqui na colônia. Sabe, mãe, existem cidades no mundo espiritual preparadas para nos receber. Deus é amor, lembre-se disso. E eu continuo com a minha bíblia.
Nina nos pediu para evitarmos dar nosso nome completo para que não haja problemas para pessoas que só querem fazer o bem, mas há sinais nessa cartinha que você e o papai vão saber que somos nós. O Igor e o Vinicius estão crescendo e me dando bastante trabalho aqui...
Mas tudo isso não importa, o que importa é que vocês saibam que não foram culpados de nada, tudo já estava organizado para acontecer do jeito que aconteceu. O sítio continua lindo. Cuida dele, mãe.
O quadro que eu estava pintando na escola e que não terminei era para você, mamãe.
Saudades dos amigos da escola. Saudades da minha tia e de toda a família.
Fiquem em paz. Nós te amamos muito."*

Shaiani, Shai...

"Como sofri durante a quimioterapia né, mãe? Seu coração ficava em pedaços, eu me lembro que você saía do quarto para chorar do lado de fora no corredor do hospital.

Não foi fácil, enfim a doença nos venceu.

Mas não me venceu, porque eu não morri. Eu vi anjos, mamãe, como eu sempre te dizia, que quando eu morresse eu queria ver anjos.

Você se lembra?

E você me dizia que anjos andam junto com anjos.

Boba...

Mãe, estou bem agora. Eu não tenho mais a doença. Sinto muita falta de você e da minha casa. Mas Nina me explicou que é assim mesmo.

Te amo, tá?

Beijos..."

João Victor

Mãe, voltei!

"Oi mamãe, oi vovó, oi vovô, oi papai!
Oi para todo mundo!
Mãe, você esqueceu meu aniversário?
Você não rezou para mim nesse dia. O que houve?
Mãe, te amo.
Vó, te amo.
Vô, te amo.
Papai, cuida de todo mundo aí, tá?"
Francielle

OSMAR BARBOSA

"Mamãe, eu queria te dizer que eu não morri. Que ninguém morre e que você tem que se cuidar. O acidente não foi um castigo de Deus como você vive pensando. Deus não castiga ninguém. O acidente foi o meio que Deus usou para me trazer para ficar com a Vovó Maria, pois é ela quem está cuidando de mim agora.

Nós sentimos muito sua falta, mas eu já pude compreender que as coisas são assim mesmo. Logo, logo você vai estar aqui conosco e poderemos compreender melhor tudo o que nos aconteceu. Foi isso que a vovó me ensinou.

Estou indo à escola aqui. Lá nós aprendemos as coisas de Deus.

É bem legal!

Mãe, eu te amo.

Abraços..."

Antônio

Mãe, voltei!

"Perdoem-me, perdoem-me por não ter dado ouvidos aos conselhos que vocês insistiam em me dar. Eu sempre fui muito rebelde. Agora compreendo que a intenção de você, mãe, e do papai sempre foi de me ajudar.

As más companhias me levaram para o caminho errado. Agora eu compreendo isso e peço humildemente desculpas por tantos transtornos que causei.

Foram desvios de minha personalidade e principalmente falta de fé em meu coração.

Mãe, eu te agradeço as orações; elas foram muito importantes para me ajudar a chegar aqui na Colônia Amor e Caridade. Foi através de suas preces que eu consegui me libertar do lugar horrível em que estava. Te devo essa!

Pai, perdoe-me por te fazer sofrer. Levanta a cabeça, você é um vencedor e eu te amo.

Obrigada por tudo, meus amores."

Letícia

"Mãe, mãezinha, que bom eu ter essa oportunidade de mandar essas linhas para você! Eu tinha só quinze anos quando te deixei. Aquele monstro me matou. Mas eu não morri. Morri para a vida, mas acordei para a eternidade. Aqui é bem legal. Trabalho, ajudo, aprendo, compreendo, amo, enfim isso aqui é tudo de bom.
Saudades dos amigos... nossa, quanta saudade de todos!
Manda beijo para a Manu para mim.
Te amo, mãe... muito..."
Luana

Mãe, voltei!

"Oi mãe, eu sei que tudo foi muito difícil para todos nós. Depois do atropelamento as coisas foram se complicando no hospital até que eu deixei meu corpo e acordei aqui na enfermaria da Colônia Amor e Caridade. A Ana Beatriz também está aqui. No princípio eu fiquei muito confusa e sem entender muito bem o que tinha acontecido.

Eu só me lembro do carro batendo em mim e dos bombeiros que me socorreram.

Mas vamos deixar de lado as coisas ruins e falar de coisas boas. Eu estou na escola aqui e sou uma das melhores alunas. Eu ajudo com os menores e estou aprendendo muita coisa legal.

Estou crescendo como cresceria aí ao seu lado. Só não comemoramos aniversário, porque as coisas aqui são bem rápidas.

Mãe, não culpe ninguém, porque eu não morri, tá bem?

Te amo, tá?

Saudades eternas."

Talita

"Oi mãe, nossa como eu estou feliz em poder lhe escrever essa pequena cartinha!

Eu cheguei aqui bem abalada, confesso a você; eu esperava vencer a doença, estávamos muito próximos, né? Mas mamãe, a doença foi só o instrumento que Deus usou para me tirar daí, isso é até meio confuso de dizer, muitas pessoas não vão entender. Mãe, nós fomos e somos duas guerreiras. Eu não venci, mas você se saiu muito bem. Parabéns!

Mãe, eu não preciso te dizer o quanto eu estou orgulhosa de ter sido sua filha nessa encarnação e poder desfrutar de momentos tão especiais que você sabe, né? Só nós duas vivemos. Um dia poderei apertar suas bochechas como sempre quis.

Eu te amo muito, mãezinha. Seja forte, lute sempre, foi isso que você me ensinou. Cante sempre que possível a nossa musiquinha. Beijos em todos, beijos no papai Valmir, na vovó e em todos.

Mãe, eu te amo."

Com amor,

Sara*.*

Mãe, voltei!

"Querida mãezinha, o tumor em minha cabecinha foi o motivo para eu acordar aqui, ao lado da Nina. Mamãe, eu agora sou mais grandinha, tenho aproximadamente oito anos e sou muito feliz. Tenho saudades de todos aí, até do meu gatinho, o Fred.

Mãe, eu te amo muito. Agora vou brincar com meus amiguinhos daqui. Dá um beijão no papai e na vovó."

Te amo,

Pippa.

OSMAR BARBOSA

"Oi pai, oi mãe, oi todos aí.

Eu cresci e agora já posso me comunicar com vocês. O tempo aqui é bem diferente do tempo que contamos aí. Aqui nós crescemos bem mais rápido.

A saudade é muito grande, pois eu não tenho ainda permissão para visitá-los; aqui existem regras que temos que cumprir, mas eu tenho certeza que essa pequena mensagem vai aliviar os seus corações.

Minha morte foi muito triste mesmo. Afinal, lutamos contra o câncer durante cinco longos anos, e no final ele nos venceu. Sou e continuo a ser um menino feliz, vocês me ensinaram isso.

Pai, continue orando e pedindo por todos de nossa família, a mamãe está demorando a entender que nós não morremos e que eu vou poder estar com vocês algum dia.

Beijos em todos aí de casa, beijo especial em minha irmã.

Saudades"

Lucca*.*

Mãe, voltei!

"Mãe, eu estou aqui na Colônia Amor e Caridade. Eu estou com a Nina, é ela quem cuida das crianças aqui. Mãe, Deus criou cidades onde nós que morremos aí, somos recebidos com muito amor aqui. A vovó está cuidando de mim. Ela é um doce, né, mãe?

Que alegria poder mandar notícias! Estou muito feliz.

Dá um beijão na minha tia e no meu pai."

Com amor,

***Iasmin*.**

OSMAR BARBOSA

"Mamãe, eu fui vítima de mim mesmo, procurei o que achei. Lamento muito não ter ouvido seus conselhos. Agora eu posso compreender o quanto errei seguindo o caminho das drogas.

Amigos. Bem que você me avisou, não tive amigos aí. Hoje eu tenho amigos verdadeiros aqui na vida espiritual. Aqui todos são verdadeiros e honestos. Tudo aqui é bonito e justo. Ele, nosso Deus de amor, sabe de nossas necessidades e providencia para que nós não soframos aqui.

Estou feliz em poder te mandar notícias. Obrigado por suas preces, pois foram elas que me ajudaram muito aqui. Só o amor pode transformar tudo, mamãe.

Te amo muito e obrigado por tudo."

Do seu

Dudu.

Mãe, voltei!

"Querida mãezinha, foram incríveis os sete anos que vivi ao lado de você e do Marcos. Embora ele não tenha sido o meu pai biológico, ele sempre foi e será o pai do meu coração. Quanta luta, né, mãe! Quantas batalhas travamos juntas para que eu pudesse vencer o câncer! Mãe, eu estou aqui na Colônia Amor e Caridade. Deus criou este lugar magnífico para que crianças como eu fossem recebidas e ajudadas, com muito amor e carinho.

Obrigada por tudo o que você fez por mim. Você e o Marcos."

Com amor,

Ana Luiza.

OSMAR BARBOSA

"Oi mãe, oi pai, estou bem. Quero expressar para vocês a minha alegria em poder escrever estas linhas. Quando eu tinha onze anos eu deixei vocês. E sei que vocês sofreram muito por minha partida. Agora estou refeito do câncer. Ele aqui não existe mais em mim. Mamãe, eu te perdôo pelas vezes em que você me deixava sozinho com muita dor no leito do hospital. Embora você pensasse que eu não sabia, eu sabia sim, que você saía do quarto para chorar.

Papai, meu melhor amigo. Lembro-me das vezes em que durante a noite eu tinha medo de ficar sozinho e ia correndo para a sua cama. Incrivelmente eu acordava sempre na minha cama. Você era campeão nessa mágica.

Bom, despeço-me lhes abraçando a alma. E lembre-se sempre dessa que é a nossa frase...

– Saudade é o amor que fica!"

Pedro Henrique

Esta obra foi composta na fonte Times New Roman corpo 12.
Rio de Janeiro, Brasil, outono de 2017.